「狂い」の調教

違和感を捨てない勇気が正気を保つ

春日武彦 KASUGA Takehiko
平山夢明 HIRAYAMA Yumeaki

はじめに

昨年（2022年）で神戸連続児童殺傷事件、通称「酒鬼薔薇聖斗《さかきばらせいと》事件」が起きて四半世紀が経過したのだった。あの出来事はたしかにセンセーショナルそのもので、それに先立つ東京・埼玉連続幼女誘拐事件（1988〜1989年）とともに、前代未聞の猟奇事件として世間に記憶されている。またどちらもメディアに登場する精神科医の「推理」や「見解」がいかに出鱈目《でたらめ》でチープなものかを露呈させた事件でもあった。

神戸の事件の直後に、カウンセラーを中心とした学会が臨時の集会を開いた。ことに犯人が中学生だったこともあり、心の専門家はこの事件をどのように受け止め、どのように振る舞うべきかを討論したかったようであった。集会全体は浮き足立った雰囲気に包まれ、マスコミからも取材が来ていた。

なぜかパネラーの一人としてわたしが呼ばれた。壇上で何か喋《しゃべ》れというので、あんな事件はただのレアケースに過ぎず、深読みなんかしても意味はないと思うと述べた。すると司会者が腹を立て、また聴衆全体も、それこそブーイングをしかねない勢いであった。彼らは事件に時代の病理を読み取り、世間が誤った風潮に侵食されているといった議論をしたいようだったので、当方の意見はそれに冷や水を浴びせる所業と映ったらしい。

彼らの気持ちも分からないではないが、似たような事件が立て続けに起きたのならともかく、この出来事ひとつを以《もっ》て喧《かまびす》しく語り合っても喜ぶのはマスコミだけであろう。実際、今になって振り返ってみると、やはりあれはレアケースでしかなかった。何かを象徴しているとか、なんらかの兆しといったものではなかった。とんでもないヤツがいたものだなあ、とそれだけの話である。ついでに申せば医療少年院でA少年を「育て直す」といったフォローを濃厚に試みたようだが、それが成功したとは到底思えない。「育て直し」についての反省会を大々的に開いたほうがよほど建設的だと思うのだけれど、そんなことをしても胸がときめかないのであろう、たぶん。

本書の第1章と2章では、平山夢明さんと最近の大きな事件や世の中の空気について、精神の逸脱といった観点からあれこれと話し合っている。床屋政談レベルの会話で申し訳ないが、鬼畜コンビとしての私見を示して眉をひそめさせるのも読者諸氏の正気を保つためにはいくらかでも価値があるのではないかと思っている。どちらかといえば「育て直し」を茶化すようなノリなので、なんでもかんでも炭鉱のカナリヤだと言い立てるよりはまだ風通しがよろしいかもしれない。

さて本書は『「狂い」の構造』シリーズの3作目となるが、今回は今までと異なる特徴がある。版元である扶桑社が、社員のメンタルヘルス研修として、平山さんと二人で対談を行えと依頼してきたのである。真面目な講義では誰も聴きたがらないので、まあイロモノならどうだろうかと考えたに違いない。リスキーこの上ない企画ではないか。

結果はどうであったか。作家として、生活者として「したたか」に生き抜いてきた平山さんの言葉には、やはり重みがある。ふざけた調子で語ろうとも、そこには大切なヒントが潜んでいる。わたしだけが語ったらいささか地に足の着かぬ講義になりかねないところを、あえてタフと呼ばせていただくが、タフで超現実的な生活態度がもたらす知恵で補ってもらうことによって、それなりに役に立つ研修をまっとうできたようなのだ。

この研修をテープ起こしして、さらに二人の放談を付け加えることで本書は完成した。もしかすると、この本が役に立ったと思ってくれる人が多少なりともいるかもしれない。たとえそれが読者のうちのたった一人（つまりレアケースである）だけだったとしても、わたしとしてはこの本を作った意味があったと思いたい。

春日武彦

「狂い」の調教◉目次

電気療法の誕生秘話／その何気ない一言が、うつを呼ぶ／果たして、この世の中は狂ったのか？／違和感は生きるための贈りもの／「違和感」とはバランス感覚でもある

第2章　個人の「狂い」はどこから来るのか？……………… 83

「何が大事か」の優先順位が狂う／幸せのコップから、わずかばかりのおすそわけ／マンションのバイト管理人は見た／カウンセラーと占い師／ホロスコープが伝える意外な啓示／DNAの叫びを聞け／身の危険を感じた話／逆恨みされるのは個人でなく病院？／慢性自殺志願者のイヤな最期／ひどい自殺の話／死を決意させる言葉の魔力／荒くれた病気——躁病／精神科医が青ざめる一言／植松聖は躁病？／精神鑑定のこわい話／春日先生、危うし！／殺した人数で星マーク／重要な裁判記録が破棄された件／留置所と白衣の秘密／暴走する個人のサディズム／春日先生の告白、そして平山夢明を「診断」する／平山夢明流の執筆術／俺に病名をつけてください／自分をリセットする言葉の魔力／言葉の重みとタイムパフォーマンス／それにしても原稿が遅い！／迷ったら燃やせばいいよ

第1章

言語化できない違和感の時代

２０２０年初頭からのコロナの世界的流行に始まり、２０２１年にはアメリカの連邦議会が襲撃され、２０２２年にはロシアがウクライナへ侵攻し、日本では安倍晋三元首相が暗殺された。

疫病、陰謀論、戦争に暗殺。世界情勢に伴うきな臭い不安、激変した生活スタイルと価値観の揺らぎに直面した現代は、まさに平時から戦時へと変化し、さらに分断の時代を迎えている。

この数年で、世界は狂ってしまったのか？　もともと狂っていたのか？　それとも、これが人間の「当たり前」なのか？

診察室で狂気を見つめ続けてきた精神科医と、ときに鬼畜系とすら呼ばれてきた特殊系小説家が、まずは大きな視点から「２０２０年代的な狂い」を眺め、不安と緊張を解きほぐす！

世界は陰謀に満ちている

平山　世界情勢や社会不安の視野で見ると、今の世の中は「どうなっちゃうの？」って、非常に狂ってる状況だよね。人類滅亡までの時計（世界終末時計）が１秒を切っちゃうんじゃないかって、針の上に立ってるような状況がずっと続いてる。こないだポーランドにミサイルが落ちたときなんかそうだよね（２０２２年11月15日、ウクライナ国境に近いポーランド東部にミサイルが着弾し、２人が死亡）。フェイクニュースや陰謀論も飛び交って、もう何が本当かよく分かんない。

春日　うん。

平山　あの陰謀論って不思議だよね。ハタから見てるとバカとしか思えないのに、すごいじゃない。信者たちの「圧」って。トランプ前大統領の支持者がワシントンの連邦議会議事堂を襲撃したりさ（２０２１年１月６日）。あれは集団心理なの？　人間の行動の源泉、原則として、正しいか否かとは別になんの根拠もなく盲信通りに動く快感ってあるのかな？

春日　ともかくまず、彼らの側としてはつじつまが合ってることが大きいよね。ものの真理よりも「つじつま」を重視するのは、「偶然を許さない」って発想だから。すべてに意味があると思ってるわけ。偶然の羅列を無理やりに繋《つな》げようとすると、強大な何かを想定しないと説明できない。

平山　偶然としか思えないものすら、「何かがコントロールしてる」ってことだもんね。それはもう、国家規模の陰謀になるよね。ディープステートとかさ。

春日　しかしね、陰謀論と妄想って近いんだよね。誰か、偉い人が言ってたんだけど、「狂人は次々に発見する」のね。あれもこれも陰謀だって、どんどん話が繋がっていく。そこに強烈な快感があるみたいよ。

平山　腑《ふ》に落ちていくわけね。次から次へと。

春日　「やっぱし！」の連続で。

平山　そこで「いや、待てよ」とは思わないのね。

春日　「案の定」ってほうが楽しいんだよ。

平山　それは最初からそういう気性の人なの？　それとも何かのきっかけでハマっていくものなんですか？

春日　いや、やっぱりそういう人は、どちらかというと否定される人生だったから。

平山　フラストレーションもたまってるわけね。

春日　それがトントン拍子になるわけじゃない。こんな気持ちのいいもんはないよ。

平山　陰謀論者の中にいれば、陰謀を信じれば信じるほど位が上がっていくもんね。

春日　世の中とは隔たっていくけれど、仲間内ではどんどん絆が深まるでしょ。

平山　カルトもそうだよね。安倍晋三元首相暗殺事件（2022年7月8日）で旧統一教会が叩《たた》かれてるけど、そもそも「カルトの定義」をちゃんとしたほうがいい。俺が思う「カルト」には3つの条件があって、ひとつは「黙って近づく」。自分の素性を明かさないわけ。それから「不幸につけこんで怖いことを言う」。

春日　うん。

平山　恐怖で支配しようとする。で、最後が「第三者への相談をさせない」。宗教カルトも経済カルトもあるけど、この3つの条件に当てはまったらまずカルトだと思う。

春日　そうね。

平山　俺らが若い頃は「多言語を学びませんか？」とか、「国際交流しませんか？」とか。そういうので寄ってきた。「子育ての悩みを抱えてませんか？」とかさ。カルトっぽい勧誘をしてたヤツに取材したことがあるんだけど、やっぱり市役所とか、戸籍係を抱き込んで近づくケースが多いんだって。

春日　ひどいね。最低じゃないの。

平山　死亡や離婚の届けで情報が出てくるじゃん。それを買って当事者のとこへ行くの。

春日　はいはい。

平山　シングルマザーとか、お子さんを亡くした人に「何かあったら言ってください」ってガーッと懐に入ってくる。そんなのはカルトだよね。やり方がまともじゃないし。カルトの一番悪いところは考えさせなくすること。貧乏人や不幸な人の最大の武器って「考えること」なんだよね。考えるって、自分の最大の武器じゃない？

春日　うん。

平山　相談する前にまず、「自分で考える」。その最大の武器を取り上げてしまう。そういうのが今、世の中が狂ってる背景にもあるんじゃない？

春日　ただ、陰謀の渦中にいると現実から分断されるのと同時に、当事者の側ではどんどん絆が深まっていく。その安心感というか喜びも強いわけじゃん。

平山　そんな状況を生む原資になるエネルギーとして、もともとのところに社会と自分に対する不満があるんだよね。「俺はもっと偉いはずだ」「こんな人生じゃなかった」っていう思いがずっとある。「俺の人生が現状、不満なのは自分の努力不足じゃなくて、ディープステートのせいなんだ」ってことになる。

春日　だから原因をはっきりと教えてくれて、しかも、その原因がどうしようもないもんだと都合がいいわけでしょ。矛盾を突くようなことは自分が困るんだもの。

平山　例えば、Qアノンにしても仕掛け自体はそんなに高尚な感じがしないんですよ。21世紀の科学世界にある妄想じゃなくて、江戸時代とかにあったようなガラクタでポンコツなヤツ。ほら、トランプが「２０２０年の大統領選挙は不正があった」ってずっと言ってるけど。女房や娘さんまで「不正はない」って言ってんのにさ、ほとんど「飯、食ってねえよ」ってじいさんと同じ状態になってるわけでしょ。オウム真理教のときも似た感じがあった。麻原彰晃が入った風呂の水を飲むとかさ。いやいや、あり得ない……。

春日　それを言うなら、いわゆる新興宗教の建物の趣味の悪さね。センスとしてさ、よくあんなもんに耐えられるもんだよね。

平山　祭り屋台の変なチョコ飴《あめ》みたいに、いっぱい粉末まぶしたのをちょっと建てたみたいな。

春日　霊柩車《れいきゅうしゃ》をゴテゴテと飾りつけるような。しかし、あの趣味の悪さが魅力でさ、盲信へ誘うんだろうね。ある種の正直さや本音に近い感覚が伴っているのかな。変に洗練されていると、逆に疑いが湧く。

平山　教団の神殿は超高層ビルとかじゃダメなのね。いかにも素人がつくったみたいなのがいいんだね。

春日　5円玉を繋ぎ合わせて作った亀みたいなさ。

平山　なんか知らないけど怖い雰囲気の工芸品ね。亀とかヒトデとか、撲殺できそうなヤツ。俺のおばあちゃんとこにもあったもの。玄関とかに置いてあるから、いらねぇんだろうと持って逃げたら追っかけてくるんだよね。怖いよね。

陰謀論がはびこる裏にコロナあり？

平山　陰謀論の背景にはコロナがある？　ここ数年の閉塞状況も影響してるんですかね。ほら、みんな「商売がうまくいかないから、Qアノンでもやってみるか！」みたいな。

春日　コロナで商売が失敗したとか、ひどい目にあった話は確かにかわいそうだけど、それはもう宗教どころじゃないと思うんだよね。この前も、「コロナうつ」について講演してくださいなんて言われてさ。でも、俺、コロナうつのヤツなんか見たことないから断ったんだよね。

平山　見たことないの？　コロナでうつになるんでしょ。

春日　俺はそれこそ、都市伝説レベルじゃないかと思う。コロナで分断されて、いろんなことも制限された結果、うつになるってさ。それはもう、自分でそう言わないとね、世の中に遅れると思ってるんじゃないのかなって。

平山　一時期あった、インナーチャイルド的なこととかね？「自分の中の子供を大切にしないと不幸になる！」ってさ。俺、「自分の息子ってチンポコのこと？」って聞いたらぶっ叩かれたよ。「お前には話したくない！」って。

春日　学校行けないとか、修学旅行の思い出づくりを奪われただとかさ……。でも、おかげでいじめられなくていいじゃない。

平山　ずっとゲームやってられるし。満員電車に乗らなくて済む。コロナ自粛で飲み屋を閉めたり、映画館がダメになったりしたけど、まず満員電車止めないとさ。あれ、絶対ダメだよね。今は比較的、ギュウギュウにしない感じなのかな。

春日　まず、テレワークとかで朝起きなくていいんだから。

平山　先生のとこには「コロナうつなんですけど」って人は来ない？

春日　来ませんね。逆にね、統合失調症の患者なんかだと、そもそも他人と分断されてるから。話すネタができてお互いに助かってる。「コロナは大変だ」とか話すネタが増えた。

平山　その人はコロナを語ってるぶんには安定してんの？

春日　自分だけツラい思いしてるより、みんなが困ってるほうがいいんだよね。

平山　自分は引きこもらないといけないし。みんなも引きこもってるからね。

春日　もう、カモフラージュみたいなものだよね。

マスク、咳《せき》、with《ウィズ》コロナの風景

平山　俺はコロナと関係なく、冬になるとよくマスクするのね。顔が寒いから。今はみんなマスクしてるじゃない。

春日　人にうつされたらイヤでしょ。変なヤツの体の中にあるウイルスを。

平山　すごい咳してるヤツとかがさ、エレベーターの前で待ってたりするとさ、俺もうパッと入ってパッと閉めちゃうの。「アッ！」とか言ってるけどさ、向こうで。

春日　病院行くのに電車に乗るのね。すると、スカスカのマスクをしちゃってさ、下向かないし、手で押さえずにゲホゲホやってるヤツがいっぱい乗ってる。イヤでしょうがないんだよね。

平山　大体、何ゲホまでは我慢できるの？　3ゲホくらい？

春日　1ゲホでもイヤだよ。ツバが気道に入っちゃって、胸張ってゲホゲホやってるの。
平山　たまたま変な感じで喉がガラガラするときあるよね。あれが困る。咳しないよう頑張るけど、溶けてくんないのよ。エヘン虫が。仕方なく小咳をするの。「エヘッ、エヘッ」って。そしたらよけいに変なとこ入っちゃって。「ゲホゲホゲホ」ってえらい目にあっちゃってさ。このナリだから最初からマトモな人間じゃないと思われてるんだろうけど、周りの人間がゴッソリいなくなる。
春日　はいはい。
平山　もう、手に「これは安全な咳です」みたいな札をつけたいよね。だってアレルギーの人も大変じゃん。花粉とか。あと、もらい咳ってあんだよね。あくびみたいにさ。俺、見ててかわいそうだったのがさ、おネエちゃんが咳を我慢するあまり、鼻からベッて鼻水が出て。大変だよね。
春日　それって、エロい感じ?
平山　いや、鼻水だから(笑)。
春日　逆にそれがさ。お前の恥ずかしい格好見たぞって(笑)。
平山　痛々しくてかわいそうだったよ。今でもワクチン打たないのがいるじゃん。理由を聞いたのよ。そしたら、「自慢じゃないけど去年、一昨年と2回かかってんだ」つうわけ。「そのぶん抗体があるから打たない」って。じゃあ、3回目で味覚音痴になって、脳にクモが湧いたらどうすんだって。そしたら「俺は平気だ。訓練してるから、コロナで」って。こんな感じで、コロナにかかった経験をワクチン接種の回数に入れるヤツいますよ。「俺は1回かかって、2回打ってるから、合計3回」とかさ。

春日 川崎にしかいないよ、そんなヤツ。

平山 先生のとこにそういうのが来たらなんて言うの？

春日 カルテの端に「要注意」とか書く。

平山 「危ない。脳がおかしい」って。

俺もコロナんじゃいました……

平山 実は俺ね、ワクチン打つ前に1回かかったんだよ。

春日 あの、新宿御苑で寝てたときの話ね……。

平山 そう。酒飲んで寝て、日焼けした後にね（笑）。生まれて初めて夜中に寒くてヒートテック着て寝たんだよね、真夏に。これはおかしい、絶対に熱中症だと思ったんで、ユニットバスに水溜《た》めて中に入ってたの。朝まで。そしたら咳が出てきて。「ヤバい、夏風邪ひいちゃったらコロナに間違えられる！」と思って。でも、咳が違うんだよね。喉でするんじゃなくて肺でしてる感じ。どーんどんって、太鼓叩いてるみたいな咳だから。

春日　すごい疲れるのね。

平山　あちこち痛くなる。変な筋肉痛みたいに。おかしいおかしいって。で、知り合いの編集者が「コロナじゃないですか？」って聞くから、「俺はかからないよ。用事がなければ外に出ないから」。「でも、熱中症で咳は出ませんよ」って。「じゃあ、熱中症から始まる夏風邪だな」って言ったら、「1回、体温測ったほうがいいですよ」ってさ。そしたら37度８分とか……。

春日　また微妙な数値で。

平山　次の日やっぱり38度超えて。発熱外来に電話したら「いっぱいで診られません」って断られたの。「俺、お腹《なか》減ったからご飯食べに外へ出ちゃうよ。急に病を得たんだから」って言ったら、なぜか皮膚科を紹介されたのね（笑）。

そこに聞いたら「予約しなくていいから来い」と。だから受付に行って「ちょっとコロナんじゃったみたいなんだけど」「は？」「いや、コロナになってコロンじゃったんだよ」って。「ダメダメダメ！」ってすぐ外に追い出されて。「予約もしないで！」「必要ないって言われたよ。おじさんが言ったよ」ったら、「そんなことないない！　アンタ、違うとこに電話して勝手に入ってきたんでしょ」って怒られて。「野良犬じゃねぇんだから」ってさ。

春日　（笑）

平山　それで俺、外の信号の三角地帯で待たされてさ。炎天下でグラグラきてるのに、携帯でやり取りして。「ちょっと熱があって、調子悪いんで診てもらいたい」って言ったら、「診るとか診ないとかの話じゃない。アンタ病気なんだから。とにかく検査するの？」って。「じゃあ、アンタ、裏のネイルサロンの裏口で待て」って言われて、戸口から紙を渡されて。「はい、これアンタ、ＰＣＲのヤツ。２時半からだから行ってきな」で、「２５００円！」と言われてそれで終わりなの。

春日　覚醒剤を買うときみたいな状況だね。

平山　俺、言ったのよ。「解熱剤か鎮痛剤とかくれないの？」って。でも、「コロナだったら対応しますから」って何もしないの。で、検査で陽性が判明して、保健所から連絡があって。自宅療養してたら、その皮膚科のババアから電話がきて。「平山さん、陽性だったようね。でも、かかっちゃったのは私のせいじゃないし」って。そりゃそうだけど、「とにかく、喉と頭が痛いから解熱剤と鎮痛剤が欲しい。取りに行けばいいですかね」って聞いたら「あなたはダメよ。来たら困る」って。

春日　うん。

平山　「じゃあ、知り合いが取りに行くから」「ダメよ。もっと自分を信じなさい。人間には自然治癒力があるから」って。わざわざウチに来る必要はない、それで終わっちゃったの。すごくない？　病院の名前は出せないけど（笑）。

春日　「百合子キット」（東京都が自宅療養者に配布した食糧や日用品）は届いた？

平山　来ないよ、そんなの。しょうがないから編集者に薬を投げ込んでもらってさ。

春日　編集者にも何人かうつしたんでしょ……。

平山　まだ咳が出る前に編集会議をやったんだよね。俺を入れて4人で。そのときは自覚症状なくて、普通にしゃべって飯食って帰ったんだけど。保健所から陽性の連絡が来たときもさ、黙ってようと思ったの。どうせ感染源なんか分かりゃしないんだから。麻雀《マージャン》の「通らばリーチ」みたいに（笑）。でも、いつも迷惑かけてるから、悪いなと思って電話して。「俺、コロンじゃったよ」「どこでですか⁉」「いやそうじゃなくて、コロナになっちゃったんだよ」「えーっ！　じゃあ俺もだ」って言うわけですよ、そいつが。

春日　はい。

平山　そいつ、俺と飯食って飲んだ後、家帰ってまた飲んだらしくて。次の日ものすごい具合悪くて、頭痛くて熱がある。二日酔いかと思ったけど、二日酔いじゃ熱は出ないだろうって。

春日　（笑）

平山　「お前も多分コロんでんぞ」って言ったら「ひどいなぁ」って。もう1人、別の子にもうつってて、「平山さん、ヒドいっスよ。勘弁してくださいよ、タイミング悪いっスよ」って。そいつ、会議の翌日にワクチン打ったらしいんだよ。そしたらものすごい熱が出て。「こんなに副反応って強いの⁉」って。咳はひどい、熱は出る。体中痛てぇって。一緒に打ったパートナーはそんなでもない。ファイザーかなんかだったらしいんだけど、ヤツだけグングン熱が出て。

春日　体の中が戦争だもんね。

平山　おっ、かっこいいね（笑）。「俺だけなぜ、こんな副反応がひどいんだろう？」って、今まで疑問だったけど「解けました」って。いやぁ、かかるもんだね。

ワクチンと陰謀

平山　でも、ワクチンも陰謀めくじゃない。打つと死んじゃう人が増えてるとか。それでも打ったほうがいいんでしょ？

春日　それはやっぱ……打ったほうがいいんじゃないでしょうか。

平山　このワクチンって本当に大丈夫なんですかね？（爆笑）　例えば20年後、30年後にさ。このｍＲＮＡ（メッセンジャーＲＮＡ）とかが……。

春日　今まで薬の認可がどんだけ長くかかってたか。それを全部すっ飛ばしてさ。こんなに短くていいのかよって。

平山　そうだよね（爆笑）。

春日　絶対ヤバいと思うんだよ（笑）。

平山　みんなブンブン打ってるよ！　しかも、今度から乳幼児まで打つんでしょ。大丈夫なんですかね？

春日　全然、大丈夫じゃない。

平山　生まれたての赤ちゃんで、これからまだ体をつくっていこうって段階で。いいんですかね、ｍＲＮＡワクチンなんて打ち込んじゃって。

春日　今は「戦時下ゆえに責任なし」みたいになってるだけでさ。まあ、何もしないより、ちょっと危ない橋を渡ったほうがいいんじゃないかっていう。

平山　そうなのね。「マイナスよりプラスが大きいから」ってことになってるけど。催奇性（妊娠中の女性を介して胎児に奇形を起こすこと）あるんですかね？　時間経《た》たないと分かんないか。仕方ないのね。未来の危険性か、今の命かってことだもんね。

政治の病に打つワクチンはない

平山　でも、コロナのときに日本にはワクチンがボンッとまとまってきたのは、やっぱオリンピックがあったから？　優先して回してくれたのかしら。

春日　うん。そうかもね。

平山　俺が勘ぐってるのは、あのときってワクチンの開発時期だったじゃないですか。どこの国がワクチンを最初に受け取るか、その国から経済回復できると言われていた。あの時点ではまだ、ウクライナ侵攻がなかったからいけたんだろうけど。日本は国力的にそう強くない、政治外交も全然ダメだった。それなのにワクチンを押さえられたのは、やっぱ「オリンピックやるよ」っていうこともあったんだろうし。

春日　なるほどね。

平山　あとは誰かが、公にやるとエコひいきだって批判されるからさ、裏で政治的にがっぽり取ったんだろうなって。その交渉をやってたのが森喜朗じゃねえかな、って。だから、あんなに強気で暴言を乱発して。「だって俺、ワクチン取ってきたんだもーん」ってのがあったんじゃないかって、勝手に勘ぐってんの。ま、陰謀論ですけど（笑）。

春日　しかしまあ、オリンピックをやった意味ってのが問われるよね。

平山　どうしようもないよね。一番エコで金かけないって言ってたのに、結局、1・7兆円かかってんでしょ（会計検査院の最終報告。国、大会組織委員会、東京都の「直接経費」）。

――東京都の関連経費も含めると総額で約3兆6800億円だそうです。

平山　それどこ行ったんだよって。電通のバカみたいな仕切りが明るみに出てさ。電通って解体したほうがいいよ。わけ分かんないし、内部が。五輪招致のキーマンだっていう、電通の元専務のオヤジ（高橋治之）に、安倍さんが「大丈夫です。絶対捕まらないようにします」って言ったと聞いたけど、本当かね。とんでもねぇ首相だなって。

春日　うん、乙女座のトンデモ首相ね。

平山　だからオリンピックの癒着、どんどん出てるじゃん。そういや、角川さんもね。歴彦先生も、まだ否認してんの？（対談時）大したもんだね。やっぱ兄弟揃《そろ》って意志が固い。でも、精度が高い証拠がないとあそこまで持っていかないと思うんだよね。ただ、オリンピック疑獄の規模からすれば、全然小さいんだよ。まず何千万でしょ。

――7000万円ぐらいと報道されていますね。

平山　やっぱり本丸はあの国立競技場の工事。

春日　うん。うん。

平山　あれ、大成建設がやってるとかって話で。ガースー（菅義偉）の子供が入ってんでしょ。それで、やっぱり森ルートがあってみたいな噂《うわさ》がある。かっこいいよね。「私はね、大学へ入って出るまで一度も試験を受けたことがないんですよ」って言ってるんだよね。いや、俺の話は陰謀論だから悪くとらないで。いい意味で言ってますから全部ね、うん（笑）。

株式会社・自民党と「犬猫枠」採用

春日　しかし、森喜朗は鈍感のカタマリだね。

平山　王様でしょ。埋め草記事のネタがなかったら、森を引っ掻《か》き回せばいいよね。報道

の仕事をしてる感が出るじゃない。そういう人がどんどん偉いポストについたりする。あ
あいうのが一番良くないよね。

春日　ねえ。

平山　自民党って株式会社みたいなもんでしょ。3回当選したらこのポスト、4回当選したこちらとか。やっぱり派閥の強いヤツからポストを埋めてっから。今回の岸田文雄さんは今まで冷や飯食ってたような派閥だったから、出てくると重要ポストが空くんだけど。並んでるヤツはみんな、首切り地蔵みたいじゃん（笑）。「しょうがないか、置いとくか」ってなると、あんなこと（2022年秋に1か月で3人の閣僚が更迭された）になっちゃうんだね。昔なら、法務大臣や総務大臣って大事なポストじゃん。「俺は政治活動をずっと教育問題でやってきました」とか「経済やってきましたよ」って人がなりゃいいのにさ。「お前、何もしねえじゃん」みたいなヤツがバッと大臣の椅子を獲《と》るでしょう。不思議だね。

春日　それで国会答弁したりするわけだから、いい度胸だよね。

平山　もう、今のシステムは「犬猫枠」だよね。俺さ、大手出版社の採用担当と飲んだの。そいつが「履歴書の脇に印がついてるときは、たまに犬猫が来るんですよ」って言うの。

「え!? いくら大手だからって犬も採るの?」って聞いたら、「この印が入ってるヤツは、犬が来ても猫が来ても入れなくちゃいけないんだ」って。

春日　超強力なコネ。

平山　メインバンクの子とかさ。「じゃあ、大作家の子もいる?」って聞いたら、「作家なんてコネにはなんの関係もないっスよ」って鼻で笑われた。「お前……」って思ったよね。

春日　あらら（笑）。

平山　ただね、試験はやるんだって。やっぱり「ちゃんと通りました」って証明がないと問題になるって。だから、今の大臣は犬猫みたいなもんでさ、「ナリが人間ならいい」みたいな。そういう枠ができちゃってるから怖いよ。壊せないじゃん、だって。

春日　ねえ。

平山　そういうやり方はやめて、実力主義にしようにもシステムがないんだもん。

春日　うん。

平山　要はパチンコの釘師みたいなヤツがいて、あとは玉を流しときゃいいみたいな。すごいよね。

春日　一度さ、国会中継を割と真剣に見てみたことがあるのね。で、野党から「俺ならこれ、答えらんないよ」みたいな難しい質問が出て。リーガルサスペンスを観《み》るようなつもりでさ、「これは言い逃れできねぇ」みたいなのあるじゃん。どうするかと思ったら、平気で話をズラすだけなんだよね。

平山　「話せない」とかね。

春日　そこを平気で、ぬけぬけとうまく通り抜けられるかどうか。たまにダメなヤツいるじゃん。

平山　そう。顔に出ちゃうの。今の岸田総理も出ちゃう系だよね。ガースー（菅義偉）だってさ、安倍や麻生太郎だって、「なんか入ってんじゃねえかな？」っていうぐらい面の皮が厚いじゃん。

春日　イヤだね、ほんと。

平山　今の日本の政治家の必須条件になってるね。「何を言われても、芯まで食わない」っていうさ。心が脂肪で覆われている感じ。

春日　だけど、それこそがさ、必須条件なんだから。満たさないヤツが大臣なんかになったりするわけじゃない。お情けかなんかで。

平山　俺が驚いたのはさ、「モリカケソバ問題」（笑）で、赤木俊夫さんにさ、あからさまに改ざんを命じた佐川宣寿っていうのも、嘘《うそ》ばっかついてたでしょ。あれは偽証罪じゃん、はっきり言って。なのに国税の長官になった。びっくりしてさ。「俺、もう税金払わなくていいのかな?」と思った。あんなバカなことある?

春日　ねえ。

平山　子供や若いヤツが見てたら、「やっぱり、うまいことやったヤツが勝つんだ。長いものには自分から飛び込んで巻かれなきゃダメだ」って思っちゃうよね。

春日　でも、国民も国民だよね。俺、あの菅義偉って大嫌いなんだけど。なんか甲高い声でさ、「安全、安心」とかそんなことばっか言って。イライラする。

平山　あのパンケーキ好きな親父でしょ。

春日　「もうちょい気の利いたこと言えよ」って思うじゃん。みんな文句言ってたのに、今になって「またあいつに戻せ」みたいな声が出てきて。

平山　あいつ、首相になって最初にさ、ネットの生配信で「こんにちは、ガースーです」って挨拶したんだよね。

春日　そうそうそう。

平山　「こんなヤツいらねぇ」ってさ。俺、リオデジャネイロオリンピックの閉会式でマリオが飛び出してきたときに「日本は終わった」と思ったんだけど、さらに最悪なのが出てきたなって（笑）。冗談じゃないよ。

「もう一度ガースー」とか言っているヤツは、「村」っぽい環境にいるのかな。周りでそういうようなヤツが多いと、自分の意見は言いづらいじゃん。ツイッターとかで自民党の支持層が多くても、大手代理店が雇ってるバイトみたいなのが打ち込んでんだってよ。

春日　まぁ、そりゃそうでしょ。

平山　てことは税金じゃん。もし税金を使って自民党がやってんだったら、ふざけんじゃねえって話だよね。だから、オリンピックがあんな金かかっちゃうんだよ。チンドンチンドンやらせてっからさ、すごくおかしなことが直せない。これが民主主義の最大の弱点だよね。アメリカもそうだもん。

春日　うん。

平山　圧倒的に間違ってるヤツを抱え込めば勝てるわけだからさ。「生活なんか関係ない」「俺たちが言うことを通すためには」なんてさ。要は躁《そう》状態のヤツみたいなのをいっぱい集めればいいわけでしょ？

暴動と革命と替え玉受験

平山　俺らは年取ってて良かったね。もう、第4コーナー回っちゃった年齢じゃん。もし、20歳ぐらいの子ならさ、暴動か革命をやるしかない。どんどん物価は上がってさ。

あるネエちゃんコがさ、ウェブの就職試験を京大卒のヤツに依頼して替え玉受験してたニュースがあったよね（2022年11月21日に容疑者が逮捕）。まぁ、受験を請け負ったヤツはバカだ、トンマだと思うけど。ネエちゃんの気持ちを考えればね。

春日　ねぇ。

平山「みんな、ずるいことやってんのに」って。彼女がどういう境遇か分からないけど、大人がちゃんとした社会をつくってないのにさ、「お前らだけちゃんとしろ」って。無理じゃん。

――同じようなことをしていた学生が取材されてた記事を読んだんですね。そしたら、替え玉を依頼したその学生が「お金払って対価が得られるのはいいことではないでしょうか」なんて発言をしていて、ズコッときたんですよね。社会の底が抜けちゃった、みたいな感じがして。

平山　そこだけ切り取るとね。

春日　確かにね。

平山　でも、その子、20代でしょ？　その子が育ってきたのって、平成のど真ん中で腐ってたときだもん。３・11の復興には10年間で32兆円の予算が使われたけど、オリンピックでは１・７兆円だの３・７兆円使っちゃうとか。安倍がアメリカで使えなくなったような戦闘機を１機あたり何百億円で買うとかさ。おかしくなるよね。また若いから、そういうの感じやすいでしょ？　ただ、それを許してると、必ず良くない方向になだれ込むから正気は保ってないとダメだよね。

規範をウィリー走法する立法府、いらない議員も多すぎる

平山　若い子たちが「過程より、とにかくうまくやったもん勝ち」になると、世の中は戦国時代みたいになるよね。そうなったら一番困るのは金持ち、裕福なヤツなのに。盗《と》ってきちゃえばいいだけだからね。

春日　アメリカの貧困層と同じ思考だね。

平山　だから社会のルールがあるのに。最も模範を示さないといけない人間が「誤用」するんだよ。「abuse《アビューズ》（乱用）」するわけ。

春日　うん。

平山　法律を作ってる立法府の人間が抜け穴を使う。ヤツらが勝手に作ってんだから模範になんないじゃん。いきなりウィリーして走られても納得できないよ。それで、証人喚問に出てきて「記憶にない」とかさ。あともうひとつ、「夢明からのお願い」があって（笑）。頼むから、捕まったりポンコツになった議員はクビにしてもらいたいんだよね。議員多すぎ。アメリカより多いんだもん。

春日　（笑）

平山　国民の数はアメリカの半分で、国力だってないのに。あんなに議員はいらないんだよ。参議院も全部いらない。「顔はやめな、ボディにしな」とかいらないよ。何やってんのか分かんないし。ジョーカーみたいな顔したヤツとかさ、全部いらない。

春日　まあ、プロがいいよね。

平山　国って飛行機と一緒でさ、信頼して乗ってるじゃん。それが操縦室を開けたらガキが座ってて「アタチ、分かんない」とかさ。だから、プーチンみたいなのが乗っかっちゃうと大変だよね。一番かわいそうなのは、ロシアで真面目に畑とか一生懸命やってきた人。あと、事情があって日本に来て、日本を第2の祖国だと思って暮らしてる人。肩身がせまいじゃん。第2次大戦のときにさ、カリフォルニアとかにいた日本人が強制移住させられたりしたのと同じだからさ。

春日　うん。

平山　民主主義が壊れてくると出てきちゃうんだよね。実際、ヒトラーだって選挙で選ばれてるから。投票が義務制じゃないのは民主主義の大きな欠陥だよね。選挙に行かない人が出てくると、どうしても固定票が強くなっちゃう。でも、義務化にはしたくないんだよね、やっぱり。

春日　うん。義務化したらしたなりに、また変な方向に屈曲してしまいそうだし。

平山　昔、ハンナ・アーレントさんって、全体主義に警鐘を鳴らした哲学者がさ、アイヒマンの裁判のときに……戦争犯罪って裁けないのよ（2003年には国際刑事裁判所が設置されたが、実際に戦争犯罪を裁くには多くのハードルがある）。

春日　うん。

平山　アイヒマンはずっと「命令に従っただけだ」って言っていて、死刑はどうなんだってことが問題になったときに、アーレントさんが「確かにあんたの言い分も分かるんだけど——ひとつだけ厳然としている事実があって、地球上の誰もお前と一緒に住みたくない。

そうお前は言われてるんだ」って突きつけた。プーチンも、そうだよね。

春日　しかしみんなさ、「プーチンはなぜ暗殺できないのか？」とか言ってるじゃん。そのくせ安倍は簡単に殺されちゃって、あのバランスの悪さも全然、分かんないんだけどね。

平山　プーチンはもともとプロフェッショナルじゃないですか。KGBからのし上がってきて、あっちこっちの暗殺もやってるから。それとセキュリティーにかけてる金、あとは周りが軍人でしょ。軍人と警察官ってスキルが全然違うので。

春日　はいはい。

平山　アメリカなんかでは一応、犯人が撃ってきて射殺した場合、警察官も殺人罪には問われるんだよ。ただ、それは不起訴になるわけ。ちゃんと理由があるから。でも軍人は関係ない。命令で動くかどうか。そこにためらいがないから強度が違うんだろうね。セキュリティーの。

春日　うん。

平山　プーチンにはきっとさ、「核を使ったら第三次世界大戦が起きる」って最後通牒《つうちょう》が送られてるんだろうけど、長期戦になると恐ろしいのがヒューマンエラーなんだよ。誰かがミスった命令を出して強硬派が出たときが怖い。どこでも起こりうるから。そういう意味では非常に狂ってる。

春日　はい、はい。

平山　あと、忘れちゃいけないのは、ウクライナの人たちは不幸な意味で「代理戦争」をしてるのね。戦争の物価上昇に文句を言うのはいいけど、それだけじゃないよね。

だって今、戦争で一番儲《もう》けてるのは、軍産複合体、軍事産業と燃料会社じゃん。三菱だってなんだって、安倍が開発（軍事利用可能な先端技術の研究開発）にゴーサイン出しちゃったから。今は軍事産業が動いてるでしょう。政治家が一番やんないといけないのは、こいつらへの課税だよ。利益の８割ぐらい出してもらって、代わりに小麦とか医療とか、生活の根本的な部分に分配する。それは俺たちにはできないから、やっぱり国がやらないとね。特例法案を作ってやるぐらいじゃないとダメだよね。

春日　その次は製薬会社にね。

平山　そういうことだよね。なかなか難しいけど、世の中が変わることに期待したいね。

安倍暗殺は何かの前兆に感じる

平山　日本って革命や暴動は起きづらいよね。でも、暗殺は昔から結構あるのよ。浅沼稲次郎（1960年に刺殺された当時の日本社会党委員長）とかさ。安倍さんの事件も選挙カーから降りなければ起きなかっただろうに。やっぱり緩んじゃったんだと思うんだよね。いろんな大人が仕事を責務を持って遂行させるのをナイナイにしてきた結果、バタフライ・エフェクトのように起きた。そんな気がしないでもない。だって、犯人がいた位置は当然見えるじゃない。あそこでポテト銃みたいな自作の武器を持って撃ったわけでしょ。

春日　本当にショボイ装置でね。本来なら失敗して当然なのが、うまくいっちゃった。あの類《たぐい》の偶然が気持ち悪いのね。どうしても何かの前兆みたいな気がしちゃうよね。

ベテラン世代は若者を褒めるべき

平山　俺たちだって、若いときはそれなりの不満があったり、どう生きていくかが気になったけど、今の若い子たちの閉塞感はそれ以上だと思う。何をやっても長いものに巻かれるか、それ以外はドロップアウトするしかない選択肢になってきてさ。

歴史から見ると、若い人の不満を抑えきれなくなったときに事変が起きるじゃない。二・二六事件もそうだし。この国でも戦争の可能性はあるかもしれないよね。だから、年寄り……ってか、俺らも含めてなんだけど、一番やんないといけないのは若いヤツを少しでも褒めて、伸ばしてやることね。

春日　うん。

平山　だって未熟で、すぐ根を上げるのは当たり前なんだもの。若いから肌が弱いわけじゃん。俺なんて面の皮も踵《かかと》くらい固いからさ。何か言われても「そうですか」って言いながら「死ね」って光線を出せるわけじゃん。彼らは全部真ん中で受けちゃうから、避《よ》け方もガードも分かんないわけ。ずっと良くなかったよね、バブルの頃から既得権益を掴《つか》んだ年寄りや、上のヤツらが好き勝手やりすぎて。

春日　確かにね、既得権でっていうのはあるよね。

平山　当時は編集者だって「作家を接待して飲んで食わせて、いい気持ちにさせて送り帰せば原稿が来る」ってのが仕事だったから、仕事の技術も何もないのよ。あの頃に全部死んじゃったんだよね。

春日　ふふふ。

平山　ちょうど空白があるんですよ。今の40代半ばから50代にかかる子たちはそれに乗ってないのね。軽くかすったか、横目で見てただけで。彼らはバブルの終わりに直撃されてるから、なんにも教わってない。上の世代がやってた飲み食い接待の種銭も時間もない。

業績が悪化するとストレスとプレッシャーだけがかかる。

春日　うんうん。

平山　で、「この車で走ってこい」って渡されたら、ガソリンが入ってないわけよ。仕方ないから車を手で押してる状況だよ。すごい苦労してる。一生懸命考えてる子も多いし。彼らが下の世代、20代とか30代の子を褒めてほしいね。褒めないと人は冷えちゃうんだよね。銭や生活に繋がる得意技を1個持てれば、ある程度叩かれても大丈夫だけど、その前に叩くと社会に参加すること自体が不可能になっちゃうから。

春日　うん、まったくその通りだね。

平山　年寄りでさ、脅すようなこと言うヤツいるもんね。嫌いなんだよ、俺。後ろから蹴ってやるの、「死ねばいいのに、コイツ」って。

春日　今、みんな入社試験というか、内定もらうとか、ああいう洗礼を受けるわけ？　自己ＰＲで趣味の欄に何書くか悩んだりするわけ？

平山　そんなのあるの？

――ありますよ。コロナで形態はリモートになったりしますが。

春日　読書や映画鑑賞なんて月並みな自己紹介じゃダメなんだよね。

平山　何か光るものを求められるの？　じゃあ「平山夢明の本を読むこと」って書けばいいじゃん。「だいぶこいつ、おかしいぞ。要注意」ってチェックされてさ（笑）。

エロにさえ苦労した時代

平山　今、忘年会とか社員旅行もないんでしょう？

――コロナ中は忘年会はないところが多いと報道されてましたね。そもそも社員旅行は、20年以上前は箱根や熱海なんかに行ってたところも多いようですが、ずいぶん前から激減していると思います。

春日　やらしいコンパニオンを呼んだりして……。

平山　「やぁだ、もう酔ったの？　お母さんを思い出すでしょう」なんて。「おばあちゃんだろ、バカ！」って。新人は面食らうよね。社員旅行に命を賭けてるジジイとかいたじゃん。火だるまになって燃えてるヤツ。「ホイホイッ！」とか言って。勘弁してくれよって思うけど、今になってみるとバカだったけど面白かったかな。

春日　（笑）

平山　熱海でストリップ連れていかれてさ。入口にババアがいて、「さっきまで満員で入れなかったの。いいとこに来た」なんて店内に通されて。お座敷に座ると、さっきのババアがラジカセで中森明菜の「DESIRE《デザイア》」かけながら踊るわけですよ。クレオパトラみたいな金髪のかつら被って。頭についてる蛇が折れちゃってるようなヤツ。それで3000円払ったかな？

春日　そんなの今はほぼないよね。キッチュでみじめで生臭い同調圧力が充満したヤツ。

平山　今はやっぱり「個」でね、楽しんだりするのかもしんないけどね。俺もね、割と独りが好きなんですよ。時間決めてみんなで集まってやるのが好きな人もいるじゃん。俺は時間が決まるともうちょっとプレッシャーになっちゃう。

ネット社会をサバイブする能力

春日　それはともかく、コロナを避けてみんなが家にいる。自分だけ孤独ならツラいけど、みんなが孤独な状態だからさ。それはいいじゃん。

平山　そのぶん、ネットとかSNSに行くんでしょ。

春日　ナースでね、「資格を取る」って勉強してる子がいて。やっぱりまず、仲間をつくるんだって、LINEで。それでYouTubeにいろいろ講義の動画があるらしいのね。

どれを見れば役に立つかを情報交換して、仲間同士で問題を出し合いっこする。結局、競争試験でなくて、資格試験だから。全員受かることもできるからって。

平山　ふうん。

春日　つまり、そういうＬＩＮＥグループに入れなかったら、もうアウトなの。俺なんかきっと入れない。

平山　俺もダメだと思う。

春日　だから、ある種のヤツらには楽なんだろうけれど、ちょっと変わった人間にはツラい世の中だと思ってさ。

平山　ネットのコミュニケーションの能力みたいなものなんでしょう？

春日　多分ね。だけどネットで仲間をつくり続けるにはそれなりの能力が必要らしい。

平山　ネットとかＳＮＳってもう、情報の発信自体が「カラオケ化」してるよね。個人がなんでも発信できるじゃない。その結果、「日本はもう明日終わる！」とか、「熊本地震で動物園からライオンが逃げた」なんて嘘が、ワーッと広まったりすんでしょう。

春日　うん。

平山　今はどれが本当かなんて、寝床の話みたいになっちゃったね。飲み屋のヨタ話だよ。

第一、ツイッターとかって信じちゃいけないんでしょ？　本当に信じられるのは何？　NHK？　『報道特集』とか？

春日　いやいや、信じられないよ（笑）。

平山　ほら、「喝」「あっぱれ」とかやってんじゃん。『サンデーモーニング』だっけ。ジジイ（張本勲）がしゃべってんのは正しくないの？（笑）　昭和がしゃべってんのは。でも、昔だって何が本当かなんて、分かんなかったよね。

春日　ま、平山さんと俺が言ってたのも滅茶苦茶だったけどね。

平山　あ、すいません、俺も言ってました（笑）。「春日先生によるとだな」って。「ふむふむ」なんつってさ。でも、人間って信じたいことを信じるからね。

春日　まあね。

平山　合格発表を見に行くとき、「絶対ダメだと思う」「そんなことない。あんなに頑張ってたから」「そうかな」なんて、ちょっとピンクっぽくなったりしてさ。その後、まっ黄色になったりネズミみたいな色になったりすんじゃん。

大した被害がないのなら信じたいものを信じればいいけど、じゃあ逆に「何が真実なの？」って言われたら困っちゃうところもあるんじゃない？　だから、そういうことはいろいろあるんだけれども、とりあえずこれにしがみついておきましょうかね……ってことをみんながあっけらかんと言える程度まで「本当とか真実なんて、いつまでたっても分かんないよね」ってことが分かってきてるのかも。

春日　うん。

平山　大昔の話だけど、大本営（日清戦争から太平洋戦争まで、戦時に設置された日本軍の最高統帥機関）がそうだったし、「記憶にございません」で世を騒がせたロッキード事件（米航空機製造会社の旅客機受注を巡る世界規模の汚職で、元総理大臣の田中角栄が逮捕された）だって。

春日　そうだね。

平山　まぁ、軍産複合体に押されたアメリカが自国の兵器を汚い手を使ってねじこみたいって全体図は分かるけど、具体的に「どこ」の「誰」が黒幕なのかは複雑だもんね。

それに比べれば「どれが本当か否か？」も分かる程度になってきた？

春日　しかし、今はあらゆる材料がもう全部出るからさ。いくらでも好きに話を組み立てられるよね。

平山　それこそ、ネットで好き勝手書けるよね。ＳＮＳに張りついて、「お前、死ね」なんて書いたりするんでしょ。最近は怒られるよね、そういうこと書くと。公の場で平気で

「死ね」って言えるのはプーチンくらいだよ。
　匿名だとさ、サディズムは加速、暴走するのね。たまにニュースで、「こういう書き込みをして捕まりました」って出るじゃない。大人しそうな、文化部みたいな子ばっかりだよ。日本大学の理事長だったすごいガタイの人（田中英壽）みたいなのはいないじゃん（笑）。

春日　相撲部はいないね。

平山　かみさんにちゃんこ屋やらして。なんか1億円ぐらい現金があったんだって？　自宅に。俺、そんな金額、今まで一度も持ったことないよ。春日先生とかあんでしょ？　ないの？　5000万ぐらい？　（石原）慎太郎からもらったんでしょ。

春日　ないない。現金でそんなに持ってるヤツおかしいじゃん。

平山　俺はね、貧乏、貧乏でやってきたからさ、世の中の人はみんな儲かってそうでいいなと思ってるわけ。俺ぐらいの年になると取り返しつかないじゃん。今から頑張ってもたかが知れてるから。儲かった話がニュースで出るとグサッとくる。最近、痺《しび》れたのはアメリカのロトで約3000億円が当たった話（2022年11月8日）。毎月1億円ずつ浪費してたって250年間だよ。毎日ステーキ食って。いいじゃない、ねえ？　10年で死ぬかもしれないけど。

春日　そういうのってさ、絶対反動でひどい目に遭いそうな気がするじゃん。

平山　また、遭ってほしいのね。

春日　世の中、バランスってもんがあるからね。

平山　良いことの後に悪いことが待ってないことには腹の虫がおさまらないわけ。どえらい不幸になってもらわないとね。俺の近所には当たった人いないんだけど、宝くじってちゃんと当たるのかね？

春日　浅田次郎さんがロトで100万当てたことあるよね。ちょうどいい金額を。

平山　頭がパーン！　ラリホーにならなくていいもんね。100万なんて硬めに凍った氷ぐらいの金額じゃん。置いといたら溶けちゃうもんね。凍らせとかないと。

俺、昔さ、銀行に電話したことあるもん。いっつもお金ないのよ、残高が60円とか20円で。「誰か、使ってんじゃないっすかね？」って電話したら、大ごとになって。そしたら、「○○信用金庫の○○支店からしか引き落とされてない」って。「俺じゃねーかよ！」って（笑）。イヤんなっちゃうくらい金がないの。

だから、『55億貯めずになにが人間か』（福永法源の1995年刊の書籍。アースエイド刊。著者はその後、巨額詐欺事件で逮捕、有罪、服役し出所した）って本を見たとき、腰が抜けちゃって。残高62円なら、もう、1億倍ないじゃん。

春日　（笑）

平山　何かないの？　ものすごい活動意欲が湧くとか、ネット情報にパッと食いついて、いいタイミングで仕事にありつける薬。

春日　ねーよ！　あったら俺がもう試してるよ（笑）。

うまい話と仮想通貨

平山　だって、みんなうまくやってんだよ。

春日　そう見えるだけだよ。

平山　本当？　だってGACKTとか絶対うまくやってるよ。仮想通貨とかさ。でも、潰《つぶ》れたんでしょ。ほら、ビットコインだかなんだかの（2022年11月8日、暗号通貨取引所のFTXが破綻。CEOのサム・バンクマン・フリードは同年12月12日に逮捕された）。

――負債が1兆円超とか、とんでもない桁でした。

平山　あれのCEOっていうの？　30歳のあんちゃんコなんだって。

春日　大体そんなもんじゃないの。

平山　個人資産2兆円なんだって。冗談じゃないよ。30で2丁なんか豆腐屋じゃねぇんだからさ。とにかく個人小切手とかデータにするからだよ。やっぱ現金がいいよ。2兆なんて現金、とってもじゃないけど運べやしないんだから。やっぱ持ってるだけで満足するんだよ、みんなね。仮想通貨、暗号資産なんて都市伝説みたいじゃん。今、1枚何百万とか。

——今、ビットコインは200万円ぐらいなんですけど、2021年は700万円だったらしいです。あと、1枚って単位じゃ……。

平山　ビットコインってコインくれるんじゃないの？　どうすんの？

——この時代にそのレベルからだと短時間では説明が難しいです（笑）。

平山　俺、また封筒か何かに入れて送ってくれんのかと思った。

——1ビットコインという単位が200万円だったり700万円だったりしてるわけですけど、大昔は10円以下だったりとか（2009年、最初についたレートは1ドル＝1309・03BTC。日本円で0・07円）。

平山　じゃあ、10円の頃に10枚買ってれば、7000万になってたの？　ピーク時は。

春日　与沢翼みたいな、投資家だって自称するヤツがいるよね。

平山　「秒で1億稼ぐ」男ね。素晴らしいよ。1億円落ちていても拾わなくていいんだよ。札束を持ち上げても3倍、3秒ぐらいかかるだろ。その時間、仕事してたほうがいいわけだから。1億落ちてたら踏んでいける。どこで生まれればそんなことになるわけ？　そういう学校みたいなとこがあるの？　知りたいよね、こっそり。

秘密のクラブとパイプ名刺

平山　我が国にも秘密のクラブがあるんじゃない？　「クラブ33」みたいなディズニーランドのミッキークラブみたいなの（会員専用レストラン）があって。ほら、日本会議とかって俺は聞くよ。入ってる人はみんな大金持ちになれるんでしょ。

――全然そんなことないですよ。学者さんとか神社関係の人とか、ごく普通の会社員まいろんな人が入るんで。お金持ちクラブじゃないです。

平山　そうなの？　ねぇ、ロータリークラブとかあるよねぇ。

春日　お父さん、入ってたんじゃない？

平山　入ってた。ライオンズクラブ。「レオ」とか言って、手を繋いでクリスマスパーティーにジジイが集まって吠《ほ》えるんだよ。「ウェー！」って。海苔《のり》屋のジジイとかが「ウェー！」って。だいぶ頭があったけぇな、このクラブって思ったけどさ。入ってたね、親父も。行くんだよね、ああいうのに。そっか。そういうクラブないのか。

春日　ないない（笑）。

平山　俺、頭痛いのはさ、日本推理作家協会のパーティーとか行くじゃない。するとさ、「平山君！」なんて言って「知らねぇし。誰だよお前」みたいなヤツが寄ってくるの。「君ね、もう少し真面目に作家というものを考えたほうがいい」なんてさ。何言ってやがんだ、自分のケツの穴も見たことねぇようなヤツに言われたくないよって。「それじゃ、お近づきの印に名刺を」なんてね。急に渡すんだよ。偉そうに。

春日　裏に著作が広告みたいに列挙してあるんだよね。

平山　そういうヤツに限って作家何某って肩書きの横にパイプの絵が添えてあるの。俺、めちゃくちゃ警戒するのね。「あっ、パイプだ！　危ないぞ！」って。あとペンのマーク危ないよ。いっちゃってる輩《やから》が多いから。

春日　著作がどれもC★NOVELSだったり。

平山　で、俺に「くれ」っつうのよ。名刺を。「ないですよ」って断ると、「渡したくないんだ」とひがむの。周りに「あいつ本当に名刺ないのか」とか聞いて回って。そのくせ送ってくるんだよ。自分の書いた本を。それは全部、叩き捨てる。部屋に置いとくと運気吸われるから。献本くるでしょ？　春日先生にも。読むの？

春日　一応パラパラとめくるけどね。でも、よっぽど面白そうじゃないとね。

平山　本って嗜好《しこう》品だから。香水送りつけてきてんのと一緒だよ。あるいは下着とか。「俺の好きな下着はこれなんだ」って。「穿《は》かねえよ、バカ！」って。俺も本書くと、たまに言われるわけ。「献本リスト、どうしますか？」って。あれをお中元と間違ってるヤツがいてさ。お中元はいいよ。蕎麦《そば》なら食べりゃいいんだから。

春日　しかし、一応送らないとね。

平山　何かある？　俺、言われたことあるもん。「お前、昔あんなに世話してやったのに、俺に1冊も送ってこないね」っていうから「読めるんですか？」つったら、ものすごい怒られた（笑）。「俺の目の黒い間はお前に絶対、賞やんねぇ」「お前、殺す」って。パーティーでそんなことやってたら「やめてください」って。受賞者がびっくりしてるんだよ。いい年したオヤジが2人で「殺す」とか言うのやめてくださいって。

春日　（笑）

それでもやっぱりお金が欲しい……

平山　でも、不思議だよね。この間ちょっとさ、会計士をやってる友達と話してて。俺も還暦になったんだよ。「ここらで10億、20億円ぐらい稼ぎたいんだけど、お前なんかないの？」って聞いたんだよね。もう、セコセコ働くのはイヤだから。今後は自分が気に入った仕事だけを、ブランデーグラス片手にちょっとやる感じね。理想は。

春日　名刺に「パイプのマーク」を添えてね。

平山　ねっ、いいでしょ（笑）。でも、現実は相変わらず「どうも、こんにちは！」なんてさ、ずっと丁稚《でっち》だもん。そしたら、そいつさ、「いやあ、夢さんの仕事は厳しいよね」って。ひどいじゃん。じゃあ、今の金持ちは何者なんだよって聞いたら、やっぱり親からそれなりに財を受け継いだヤツか、あとはアプリ長者なんだって。

春日　うん。

平山　アプリを開発して大手会社に買ってもらうと、億の利益が出るんだって。「じゃあ、アプリやってくれよ」って言ったんだけど、「いや、やれませんよ。会計士ですし」って。今、アプリで稼いでいる人はね、すごい頂上にいるらしいよ。俺はもう、全然、分かんないもんね。ＰａｙＰａｙとか。やったことない。大体、そんな信用のならない名前ないじゃん。PayPayなんてさ、ちんちんみたいで。そんなのに金預けて、なくなったらどうすんだろうと思うよね。

春日　（笑）

平山　お金がデータになってるから軽いよね。昔は1円玉踏んだら親父にぶん殴られたわけ。チリも積もれば山、1億円も1円から始まってるんだとかさ。PayPay、ビットコインなんて言われちゃったらさ、ダメだよね。

春日　今、貯金箱なんてないだろうね。

平山　カネの引き出し方だってずるいじゃん。あのさ、ちょっと昔に携帯で「課金」っての始まったじゃん。そこから不信感があったわけ。「カキン」なんて、何かとぶつかっちゃったような呼び名でさ。で、携帯電話代と合算して銀行口座から引き落とす。そうすると分かんなくなっちゃうじゃん。あれが諸悪の始まりね。痴漢みたいな支払い方だもん。知らないうちに、ケツのポケットに手入れて！

春日　痴漢って（笑）。

平山　政治も痴漢政治みたいじゃん。「どうも消費税上がりそうですよぉ」とか言うと、みんなぐちゃぐちゃ文句言ってる間になんとなく上げるって。ちょっとずつ触れば分からないだろうみたいな。気持ち悪いよね。もっとズバッとやってもらわないとさ。

陰謀とデバイス、再びエロに苦労した話

平山　俺、スマホとか携帯に最初から違和感があって。買わなかったの。写真が嫌いなのよ。撮られるのも大嫌いなのに、カメラついてんじゃん。でも、結果こういうふうになってくるとさ。みんなが記録撮るから。

春日　うん、うん。

平山　いつも手元にカメラがあれば、面白い動画や決定的瞬間が撮れる。ニュースや報道にもかなり影響を与えたよね。やっぱ画期的だったんだろうけど、そもそもなんの意図だったのか。電話屋さんがカメラ屋が憎いから、潰してやろうと思ってやったのかな。だったら、カメラ屋も携帯電話を売り始めればいいんだよ。

春日　しかし、それでみんな平気で死体とか撮るようになったね。

平山　なったなった。今ね、死体、事故。あとはポルノに関してもネットでさ、無修整ですぐ見れちゃうでしょ？　俺たちの頃のポルノのドキドキ感なんてないでしょうね。

春日　ないね。

平山　エロ本のぼかし、黒いマジックの線をバターで消そうと思ったりしないでしょ？　俺なんてね、バイト代で2000円ぐらいたまると古本屋に行って、外国のエロ本買ってたの。小声で「おじさん」って頼むとね、「チッ、またか」なんつってさ、出してくれるわけ。『プレイボーイ』とか『ハスラー』とかさ。ただ、大事な部分は塗ってあるんだよ。で、消す方法をみんなで会議するわけ。バターがいいとか、卵の白身がいいとか。

春日　みかんの汁とかね。

平山　いろいろあるわけ。なんでそこまでやるかっつうと、変にこすって白くなって、印刷剥《は》げちゃうと台無しじゃん。うまい感じに剝離《はくり》させたいわけよ。難しかったねぇ（しみじみと）。

春日　（笑）

平山　俺、イギリスに2週間ぐらい留学したことがあって。帰国時はもう、どうやって現地のエロ本を持って帰るかって血眼で。でも、税関で見つかったら殺されちゃうじゃん（笑）。だから、みんな向こうでさ、読めもしない英字の本を買って中をカッターでくりぬいて。エロ本の切り抜きをアンコにして詰めてるヤツがいたのね。でも、X線を通すと見えるじゃん。「じゃあ、パンツに隠すか」とかさ。

春日　それじゃ、勝新太郎じゃないの（笑）。

平山　俺のアイデアはね、折りたたみの傘の骨に1枚ずつ巻く。天気悪いから、みんな傘持ってるじゃん。

春日　（笑）

平山　一枚ずつ巻けばちゃんと収納されるから。そのアイデアを1ポンドずつで売って10ポンド稼いだ。

春日　今はそういう愚かだけど切実な振る舞い、しなくなったよね。

平山　だから、妙に醒《さ》めてんだよ。恋愛自体も少ないとか言うよね。焼けた炭を握るようなドキドキ感がないんだね。

マッチングアプリと、ポストと待ち合わせした話

平山　だってほら、今はマッチングアプリでつき合って結婚したり。

春日　そうそう。どこまで本当か嘘か分かんないのにね。

平山　会うきっかけがマッチングアプリなのね。そこにドえらいのが来たらどうすんだろう。

春日　そりゃハズレも入ってんじゃない？

平山　そのときは「なによアンタ、嘘つき！」とか言うの？　マッチングアプリの登録は何を書くの？　住所とか本当のこと書くのが必須？

――多分、ニックネームと……年齢は嘘だったりしますよね。基本的には写真です。それも修整入れまくりですけど。お互いに「いいね」みたいなのがつくと、一歩進んでメッセージでのやり取りができるとか。驚くほど気軽に「今、新宿。誰か飲む？」みたいな。自分の居場所をオープンにすると、近くにいる人が分かるんですよ。

平山　相手は会ったこともない人でしょ。顔写真を見て、「今から飲む？」なんて行っちゃうのは危なくないの？

――でも、みんながやってるから、もう当たり前なんですよね。

平山　デトロイト辺りでやったら殺されちゃうんじゃない？　ブラピの写真とかに誘われて行ったら、全然違う人だったり。ずいぶんガードが下がってんのね。

春日　無防備というかね。

平山　昔、テレクラってのがあって。俺の知り合いが見知らぬ女と会うことになったの。そいつは阿佐ヶ谷にいて、相手は厚木だって言うわけよ。俺は止めたの。電車で1時間もかかる場所だから。でも、そいつが「じゃあ、平山も一緒に来て」ってさ。

春日　（笑）

平山　「近くの漫画喫茶で待機しててくれ。帰りに合流してバイト代5000円出すから」って言うの。ハズレだったら独りで帰るのが虚《むな》しいからって。そしたら、30分もしないうちに戻ってきちゃったんだよ。「いやぁ、大変だった」って。

春日　うん。

平山　外はダーッて雨が降ってて、指定された郵便局の植え込みのそばで待ってたんだけど来ない。ふと周りを見たらさ、さっきそこにあった赤いポストがこっちに移動してくるんだって。よく見たらポストが傘さしてる。

それがスーッと移動してきて、「田中さんですか?」って言うから「違います」つって。その間、ずっと携帯がワンワン鳴っているんだって。笑っちゃってさ。

パパ活と引き算人生

平山　だから、マッチングアプリをしてる人って聞くと、ちょっと色眼鏡になっちゃう。俺からするとテレクラみたいな感じで。

春日　俺もそうだね。少なくとも安直な感じ。いろいろね、信用する気になれない。

平山　ナンパみたいなものなのかね。それは昔からあったじゃん、お茶飲もうぜとか。あれと一緒なのかしら。でも、居場所が出ちゃうんだろ。女の子は使わないよね。

――いや、普通にやってますよ。アプリも目的別で、ガチで恋人探しだったり、単純に友達が欲しい、セックスの相手が欲しいとか。

平山　セックスする相手が欲しいアプリってあんの？　それは朗報じゃない！　ある人たちにとっては。じゃ、知り合った子がそのアプリ入れてたらショックだね。「なんだ、こりゃ！」ってさ。いやぁ、困ったもんだね。

春日　だから案外、今が暮らしやすいって人もいるわけでしょ。

平山　あれがあんのよ。今、パパ活つーのが。すごいよ。活魚とかなら知ってるけど。識者に聞いたら、呼び名があるのね。「お茶（だけ）」とかさ、セックスまで行っちゃうと「大人」とか。それは肉体労働だから「ドカタ」とか言うんだって。

春日　（笑）

平山　あんまり労力がかからず、ただお茶飲んで、体の関係があっても月1回ぐらいでよくて。おいしいお寿司《すし》食べさせてくれたり、ブランド品をくれたりする。お金をいっぱい使ってくれる相手は「太Ｐ《ふとピー》」なんだって。一応、パパ活で知り合ったんだけど、実は本当は好きな相手は「好Ｐ《すきピー》」。あと「嫌Ｐ《いやピー》」とかさ。もう地獄だよ。ホント、殺されちゃうんじゃないかと思う。やめたほうがいいよね。

春日　うん。腐乱死体にさせられかねないものね。

平山　そういう泡銭《あぶくぜに》を若いときに摑んじゃうと、道がついちゃうんだよね。その後が引き算になっちゃうのよ。活動終了後に自分の目標があって邁進《まいしん》できるなら構わないんだろうけど。相変わらず、のらりくらりやってると引き算になる。タクシーで移動してたから、電車に乗れないとかさ。「太Ｐ」がいたときは高級寿司店に行けたのに、今は回転寿司とか。

春日　（笑）

平山　ある回転寿司のコマーシャルでさ、タレントが食う場面がなかったんだよ。初めて見たよ。契約に入っててんじゃやない？「ワシら食わへんで」って書いてあんだよ、きっと（笑）。

ツルツルの恋愛対象と醜形恐怖症

平山　ホストに入れ込んだ女が相手を刺した後、マンションのエントランスか何かで平然と電話してた事件、ちょっと前にあったじゃん（2019年5月。ネット上に「血を流す被害者のホストの横で、座り込んでタバコを吸いながら電話をしている女性加害者」の写真が出回った）。そんなに人を好きになる熱い心があるなら、もうちょっと別のさ、ホストとかじゃない相手を追いかけたほうがいいんじゃないの？

春日　確かにね。

平山　でも、相手にも問題はあるかもね。最近、テレビに出てくる男の子って顔もツルッツルでお人形さんみたいじゃん。リカちゃん人形のボーイフレンドの「わたるくん」みたいな。戦争あったら、負けちゃうよね。ああいう子が今、モテるんでしょ？

――BTSみたいな感じですよね。

平山　それは韓国の有名な人なんでしょ。毛生え薬かなんか使ってるんだっけ。あ、全然違う？　有名なんですってよ。知ってる先生？

春日（笑）。しかしさ、Mattとか、誰も「気持ち悪い」って言わないのなぜなんだろうね。

平山　あの桑田さんの？　大変だよね。あの人。立派だよ。俺は３ＤのＣＧキャラだと思ってたの。本物なんでしょ？　あれは醜形恐怖症なの？
春日　それに近いところはあると思う。
平山　手術マニアっていうのもいるんでしょ。整形依存とか。その可能性はある？
春日　その辺、深く病んでるところあると思うよ。
平山　お父さんも自分の子かどうか、分からなくなるよね。例えば、極端な状態になる前に精神科に行って、治療を受ければ治るんですか？
春日　いや、難しいね。醜形恐怖が治る薬なんてないから。
平山　ないの？　なんだよ、残念だな（笑）。

電極刺激で気分もスッキリ！

平山　あるいは、プレジャー・ポイントにショックを与えたりとかさ。『闇の脳科学』（ローン・フランク著／文藝春秋）って本を読んだら、昔は同性愛は異常だと思われてて、脳の快楽ポイントに電極で刺激を与えながら女とやらせたら道がつくんじゃねえかって。アメリカで実験やってたらしいね。今はないの？　脳にピッピピッってやらないの？

春日　そんなのないよ。悪魔呼ばわりされるじゃん。

平山　電気のパッチみたいな貼ってピッピッって。気持ちよくして勉強がいっぱいできるようになる。やる気スイッチみたいな。

春日　それもどうかねぇ。うつ病の治療で電気ショックはあるけどね。両方のコメカミのところにピッってて電流を通すのね。保険も通ります。

平山　『レクイエム・フォー・ドリーム』（2000年公開の映画。普通の人々がドラッグで崩壊していくさまを描いた作品）みたいな感じなの。そんなに刺激は強くないんでしょ。

春日　100ボルトだもん。基本。

平山　単位を聞いてもピンとこないけど。触ったらビッとなるくらい？

春日　今は全麻酔かけて筋弛緩剤でグタッとなってる状態で施術するんだけど、ただね、それだといまいち効きが悪くてね。

平山　感じさせないとね。電気の力を。

春日　やっぱり効くのは生だぜ、って。

平山　麻酔なしで（笑）。それはどんな形なの？　拍子木《ひょうしぎ》みたいなのを両側から当てるの？　それともヘッドフォンみたいになってるの？

春日　いろいろでね。左右分かれてて、コメカミに当てるってのもあれば、ヘッドホンっていうか、カバンの手提げみたいな形も。
平山　金正恩《キムジョンウン》の髪型みたいな。
春日　そうそう。両方に電極ついててピッとやるのとか、いろいろ。
平山　それは一瞬なんでしょ。
春日　いや、5秒とかそんな感じ。
平山　結構、長いのね。
春日　5秒ぐらい電気を流すと、体中の筋肉が縮むからね。火事で焼け死んだ状態みたいになる。
平山　ボクサータイプの死体じゃん！
春日　あれと同じでね、手足を引っ込めて全身が丸く縮んだ格好になるの。十分縮んだところで、パッとスイッチを離すわけ。そうすると身体中が痙攣《けいれん》を始めるの。『エクソシスト』みたいに。
平山　ほお。あらあらあら（笑）。
春日　それがしばらく続いて、最後にハーッて息吐いて寝ちゃうわけね。

平山　こわっ！　それ大丈夫なんですか。
春日　この治療では派手な痙攣が来ないとダメなの。
平山　悪い痙攣はあんまり跳ねないの？
春日　途中でペタッとへたったりするからさ。だから電極を当てるのも、ちょっと力を込めて……。
平山　やる側もやり甲斐《がい》がないから。「痛い痛い痛いッス！」みたいにならないの？
春日　だけど忘れちゃうからさ。逆行性健忘が生じるから。
平山　ええっ！　じゃあ、当てられてるときの記憶がなくなっちゃうの？
春日　そうそう。本人は苦しそうな顔してるけれど、苦しみが記憶に残らなかったらね、それは苦しみとして存在するかって、哲学的な話。
平山　その記憶がどっか遠くに格納されたりしないの？　深いところに。夢で見るとか。
春日　ないない。だけどステロイドとか塗るんだけど、ちょっと火傷《やけど》するんだよね。だから本人に黙って何回か施術すると、鏡の前で「おかしいなぁ」って。昔の話だけど。
平山　例えばさ、犯罪者が犯行を見られたときにギューーッって電極当てて、ガクガクガクって痙攣して忘れてる間に「よっこいしょ」って逃げたらどうなんですかね。

春日　そんなややこしいことしてたら、その間に捕まるよ。

電気療法の誕生秘話

春日　そもそも、電気ショック療法が誕生した経緯がひどい話でさ。かつては「てんかんと統合失調症と両方かかるヤツはいない」って言われてたの。今はたまにいるんだけれど。なんでそんな話になってたかと言うと「てんかんの痙攣が統合失調症を追い払ってるからかからない」なんて仮説を立てたヤツがいるわけ。

　それで、最初は注射で痙攣させてたけど、その間は息が止まってるから。いいとこで戻らないと死んじゃう。「どうすべきか」とイタリア人の医者が悩みながら町を歩いてたらね、屠畜《とちく》場があった。中を見たら、電気で牛とかを屠《ほふ》ってたわけ。

平山　倒れた牛がガクガクガクって。

春日　「これだ！」と思ったんだって。で、実際に電気を人間の患者に試したらすげえ効いたわけ。妄想を言ってたヤツがケロッと治って。これは画期的だと思うじゃん。

平山　それが今に続いてるのね。その頃は「１００ボルトじゃ甘い」なんて、もっといっぱい流しちゃったんじゃないですか。

春日　あったと思うよ。でも、結局のところ、なぜそれが効くのかよく分かってないの。「パソコン調子悪いから、再起動してみようか」ってのに近い。

平山　へぇ。記憶って脳の「海馬」にあるんでしょう？　そこに刺激を与えるのは乱暴ですよね。すごいね。

春日　だけどさ、俺がすげえヘビーなうつ病になったりしたら、薬いっぱい飲まされるより、電気治療のほうがいいな。

平山　ギューって丸まって、ガッガッって痙攣したらスッキリするのかしら。

春日　するみたいよ。

平山　それがクセになる人、いるんじゃないですか？

春日　かもね。「ちょっと頭、曇ってんだよ」って。

平山　でも、きっと春日先生は人がいいから電圧上げてくんないだろね。それなら自家製で作ってさ。自分でギューってやる。そんなヤツが出てきたら厄介だね。

春日　実際にいそうだよね。知らないけど。

平山　やりすぎると死んじゃうのかしら。死ぬ前にパッと離しちゃうか。倒れたら気絶しちゃうし。

春日　そこはガムテープとかで留めて。

平山　おおおお。ずっと通電してたらバカになっちゃうよね。でもさ、それで難関高に受かったら、次に東大目指すときは使うよね。一晩で名門大に受かる塾とか、家庭教師の先生がビビビッとさ。それで曇りは取れるけど、元気と活力は戻ってくるのかしら。

春日　結構、戻るみたいよ。

平山　いったん、荷物おろしちゃうからだね。

春日　だけど、しばらくするとまた具合が悪くなる。だからそれで少し調子良く、底上げして。ちゃんと薬飲むようにって。とにかく、保険適用されてんだから、麻酔と筋弛緩《きんしかん》剤を用いる方式は。

平山　もう認められてるってことなんだね。

その何気ない一言が、うつを呼ぶ

平山　でも、うつの原因って分かるんですか？　徐々になっちゃうんでしょ？　俺も、うつ病歴が10年、15年の知り合いがいるけど、ずっと薬飲んでるわけ。

調子がいいときは問題ないけど、悪いときには反応がなくなっちゃうんだよね。ずっと止まってるから「大丈夫なの?」って聞くと「平気です」って。だけど、全然大丈夫そう見えないから「帰ったほうがいいよ」って。

春日　すごく年配で、うつが長引く人とか。よく分かんない。ハッキリ言って。

平山　それはやっぱ、彼らの中で解決のつかない大きな問題を抱えてるとか……。

春日　そういう心理レベルじゃないね。

平山　左脳的なことではないのね。論理じゃなく、体からしんどいみたいな。

春日　うん。脳神経ネットワークがね。ちょっとプリント基板に問題がある感じ。

平山　それは治しようがないですよね。

春日　だから、いろいろ試すしかない。ただ、どうにもうまくいかない場合もある。

平山　それがまたストレスになったりすると最悪じゃん。

春日　この薬なら効くだろうって分かってんだけどさ、体重がブンブンに増えるの。うつは治ったけど、デブになりましたってイヤでしょ。

平山　それはなぜなの?　おいしくなっちゃうの?　ごはんが。

春日　食欲が増すし、脂がつきやすくなるんだよね。

平山　運動すりゃいいんじゃん。走ったり。

春日　それでも追いつかない。
平山　やっぱ食べちゃうんだ。あと、基礎代謝が下がるってことか。
春日　多分ね。本当に外見がえらい変わっちゃったりするの。体重が増えるのをすごい気にする人も多いのね。俺、３人ぐらい知ってる。女性で。「顔、むくんでるわよ」って言われたのが引き金になって、ドーンとうつ病になったり。
平山　俺の知り合いでも、何かで3キロぐらい太っちゃった女の子がいて。今まで割と声をかけてくれた男子が無視するようになった。「ほっぺ膨らんでんな」みたいなこと言われて、それがまたさらに過食の引き金になって。
春日　やっぱりちょっとした一言でいくね。
平山　それまでに何かこうステップがあって、最後のひと押しなのね。
春日　だからそうなると、もう治すという発想は捨てて。「この人にとって、とりあえずの幸せは何か?」って話になる。
平山　社会的、一般的な治療じゃなくて、個人に焦点を合わせないと。
春日　もう、オーダーメイドですから。発達障害だって、病院に来ても治りはしないんだから。まず自分の弱点を知って、それをカミングアウトして、自分でもできる仕事を見つけるっていう話になってくる。

果たして、この世の中は狂ったのか？

――さて、この数年でコロナがあり、ロシアがウクライナに侵攻し、日本では安倍晋三元首相が暗殺されました。こういう状況を見ると「ずいぶんと世界が狂ってしまった」とも言えそうですし、「疫病、戦争、暗殺なんてものは人間の歴史では平常運転」とも言うこともできそうです。果たして、世界は狂ってしまったのか否か、ずばり、お2人はどう思われますか？

平山　俺からすると「まともになった」気がする。あのバブルのバカみたいなことやっていた頃を考えればね。

春日　うん。

平山　疫病や戦争の不安はあるけど、内面的にはまともになりかけてた。でも、それを安倍政権の約8年間が完全にダメにしてしまった気がする。今後、浄化作用が進むといいね。だって今まで、旧統一教会なんて触れなかったじゃん。

表立って批判すると怖い。顔を出して発言すると危ないって、俺たちは受け止めてたもん。学生の頃も「原理研究会に入るなよ」って言われてたし。当時はまだ学生運動みたいなのもいっぱいあったけど、それでも「怖いからな」って言われてたから。それに比べれば、相当な進歩じゃない？

――春日先生はいかがでしょう。世の中が狂っていると思われますか？

春日　俺はでかい話のことはよく分からないけど、今は意外と理性的、理屈立ってものは考えてる気はするよね。ただ、それが陰謀論的なとんでもない理屈だったりする。マッチングアプリも考えようによっては、非常にいいシステムなわけじゃない？　それで救われるヤツも少なからずいるわけで。

だけど、やっぱりどこか根本的に間違ってる。「理屈では正しいけれど、実は間違ってる」っていうことがものすごい乱立している印象があって。

ただ、「これはおかしい」「こっちが正しい」って、うまく言い切る方法がなくて、「なんか違和感ばっかり」な気がするんですよね。そうなるとさ、「論破した」とか勢いのいいヤツばかりが強引にいっちゃう。「いや、これは理屈としては泥臭いけれど、やっぱりこの地道なこれが一番だよね」みたいな考え方はどうも旗色が悪くてね。いかにもスパーッと遠くまで見通せるような、一見そう思える勢いのある理屈が勝っちゃって。それで変な方向に行ってる気はするよね。

平山　「狂ってる」よりも、やっぱり「違和感」の時代だよね。

春日　そうだね。あまりにも理屈が通りすぎてるとか、話がうまいのは、当然ヤバいんではないか。ただ、その「ヤバい」がうまく説明できない。

平山　違和感の原資、根拠になっている「本当はこっちを大事にしなくちゃいけないんじゃないか」っていう立場の人が社会的弱者になってしまう。強者になれないってことの違和感って、巨大だよね。

　だって、トランプ見てたってそうだよ。あんなめちゃくちゃなヤツが大手を振ってるとか、誰が見たって「こいつ、嘘ついてる」ってヤツが国税長官になっちゃうからさ。そんなバカな話ないじゃない。その違和感だよね。

春日　僕の仕事で言うとね、例えばとんでもないパーソナリティー障害の患者が外来に来たりするわけ。当然、最初は見抜けないの。そんなサインなんてないから。ただ、違和感として感じるわけよね。「微妙にしゃべることと表情が釣り合ってない」とか、ほんのちょっとだけね。もう、言語化できないレベルの違和感を感じるんだけれど、それはだいたい当たるわけよ。

平山　うん。
春日　だけど、それはカルテにすら書きようがない。「なんとなく、こいつ変」とは書けないからさ（笑）。
平山　そうだよね。
春日　生活の知恵として、違和感を感じたらそれは大概正しいわけ。ただ、違和感って気持ち悪いから理論で説き伏せちゃうよね。そうすると必ずひどい目に遭う。だから、違和感を持ち続けるだけの度胸と覚悟を持たないといけない。

違和感は生きるための贈りもの

平山　俺、取材でギャヴィン・ディー・ベッカーのところに行ったの。アメリカのストーキングの権威で、フォード大統領の顧問もやってた人。ストーキングなどの資料だけで100万件ぐらい持ってる。脅威査定のソフトも作ってるの。彼曰《いわ》く、ストーカーの被害者は女性が多いけど、90％は春日先生が言う「違和感」を持ってる。
春日　うん。
平山　暴行や被害を受ける前に違和感を抱くらしい。道ですれ違うとき、「なんか変だな」

と思う。気の迷いで済ませたら、やっぱり巻き込まれたとか。
ある女性が『スターウォーズ』の初日に並んでいる行列を眺めてたら、手を振って自分を呼ぶ見知らぬ人がいる。「実は彼女が来ない。券が1枚あるから一緒に観ませんか?」って。やっぱり違和感があったんだけど結局、一緒に観ちゃって。そしたら駐車場で脅されて強姦《ごうかん》されちゃったとか。
買い物でエレベーターに乗ろうとしたら入ってきた男がいて、普通なら用心して出ちゃうけど、荷物がいっぱいで。「僕が部屋まで持ってってあげるよ」って。断ると親切を無下にする気がして頼んだら、次の日まで延々と強姦されてしまった。
で、ベッカー曰く、「ほぼ100%に近いぐらい、実は女性が抱く違和感は正しいんだ」って。彼はこれを「ギフト」って呼んでたの。

春日　ふむ。

平山　女性や子供、弱い立場の人が持っているギフトなんだって。このギフトはほぼ間違いない。ただね、難しいのは「断ったりして安全だった場合」の結果が分かんないのよ。

春日　そうだよね。

平山　だから、違和感に従うかどうかは自己判断ってことになっちゃうわけだけど、でも、この違和感は非常に重要なんだって。

春日　違和感は言語化できないから、違和感のまんまで釈然としないんだよね。

平山　先輩から「これ、いいよ」って誘われて、「なんか、おかしい」と思っても、そこを理論で押されるとね。

仮に違和感に従って断ると、「だからあんたダメなのよ」とかさ、関係性が悪くなったりするかもしんないしね。もし、従った場合の失敗は現実化しないから、「なんか悪いことしたかな?」って善人ほど思っちゃうんだよね。

春日　そうそうそう。

平山　でも、実はそれが非常に重要なことで。自分を信じて「違和感を守る」ことをしていかないとダメな時代になってる気がする。

春日　「嫌われない勇気」でなくて「違和感を捨てない勇気」。

平山　それ、絶対これから大事だと思う。正論やデータとかで襲ってくるヤツっているじゃん。こっちを説き伏せようとして。でもね、やっぱり自分が最初に抱いた違和感っていうのは、自分が持ってる「歴史」が伝えてるんだもんね。

「違和感」とはバランス感覚でもある

――違和感といえば、安倍暗殺の後、旧統一教会のことばかり報道されてますが、これでは「テロをやったもん勝ち」ですよね。山上徹也容疑者（後に被告）は本懐を遂げたんじゃないか。「テロには従わない」けれど、「統一教会の報道は当然」という矛盾に違和感を感じてしまうのですが。

平山　今は統一教会のほうが比重が重いけど、山上の行為自体についての検証はきちんとすべきだよね。若いヤツが報道を見て、「だったら、やっちゃえばいいんじゃないか」と思うのが非常に怖いことなんで。

日本のジャーナリズムって、やっぱ安倍あたりから全部解体されちゃって今はないのよ。せいぜい『クロ現』と『報道特集』、『報道ステーション』が頑張ってる気がするけど。報道の代わりに日本にあふれてるのは情報バラエティーじゃん。アイドル入れたりして。時事問題を真剣に討議する場が少なすぎるんだよね。

春日　うん。

平山　報道にも自治権を認めないと無理だよね。完全な民主主義、プロパガンダにならないためには「四権分立」させないといけない。司法、立法、行政、それに報道も分離させないと、もう絶対うまくいかないと思う。悪い政府は最初に報道を抑えて、国民に本当のことを言わないわけ。プーチンの事例を見ても分かるように、人類が生き残って平和に生きるためには、三権分立だけじゃダメだってことがはっきりしたんだよ。

春日　そうだよね。

平山　そこはやっぱり今後の課題だね。山上の件は精神鑑定中で、結論が出てないからなんとも言えない（対談時。その後、鑑定結果を受けて起訴）。でも、「テロによって世の中は変わらない」ってことは、今こそしっかり植え込んでいかないと。煽《あお》られるような人っているじゃん？　やっぱ精神的に不安定な人たちが。ジョーカーの服着てなんか火をつけたりとかしてるでしょ？（2021年10月31日、京王電鉄京王線の車中で映画『バットマン』のジョーカーの扮装《ふんそう》をした男が起こした殺人未遂事件）　あんなのなんの意味もないもんね。やっぱりバランスってものすごく大事。春日先生がおっしゃった「違和感」って、ある意味バランス感覚みたいなもんであるわけでしょう？

春日　うん、そうね。

平山　片方に偏るのもおかしいしね。正しいことは評価されるべきだけど、それぱっかりでも困るんだよ。俺なんか特に（笑）。だから、やっぱバランスだよね。

第2章 個人の「狂い」はどこから来るのか？

暴力、殺人、ネグレクト――。

不安の曇り空が広がる現代社会、日々の生活の中で発生する常軌を逸した異常な犯罪・事件は後を絶たない。

なぜ人は「狂い」という行動に走るのか、そして、いかにして「狂う」のか？　SNSの普及により、個人の狂気が大きく可視化された今、人の心の奥底を探りつつ、春日・平山両氏の「狂い」にも迫る第2章！

「何が大事か」の優先順位が狂う

――この章では「個人の狂気」について分析していきたいのですが、ちょうど昨日、新聞でこんな記事を見つけました。「知人の男に幼い娘とわいせつ行為をさせ、その様子を携帯電話で動画撮影していた母親が、娘に覚醒剤入りのコーヒー牛乳を飲ませていた」と。このひどさが平山先生が書かれる物語のようで……。

平山　なんでも俺に投げ込んでくんなよ（笑）。っていうか、こんな11歳くらいの子に覚醒剤飲ませて大丈夫なんですか？

春日　まずいに決まってるよ。結局、この母親は娘よりも「知人の男」のほうが優先順位として上なんだよね。変な事件って大体さ、単に優先順位が入れ替わってるだけだからね。

平山　何が大事か。まず、そこが狂ってる。火事の家に飛び込んで、サンダル持って帰ってくるみたいな話だよね。「あ！　サンダル！」って。「いや、サンダルあるから、そこに。お前、死ぬぞ。買ってやるから」っていうのにさ（笑）。ともあれ、近親相姦の事件も相変わらず聞くけど、ひどいよね。

春日　なんで子供に手を出すかっていうと、近くにいるし、タダだから。

平山　動物と一緒じゃん。

春日　だけど一応、やる側の理屈では「合理的」ってことになるんだろうね。

平山　その携帯で撮影した映像も売るつもりだったんじゃない？　とんでもないよ。『羊たちの沈黙』のモデルになった、ヘンリー・リー・ルーカスって有名な連続殺人鬼いるじゃないですか。

春日　うん。

平山　あれはお袋が淫売《いんばい》だったんですけど、やっぱり近所の人にやらすわけ。その客がもっと刺激が欲しいと、幼いルーカスに女の子の服を着せてそばで見学させたりとかしたんだよね。大事な何かを捨てて、合理性を追求すると、平気でできちゃうんだろうね。こういうことが。

春日　まぁ、そうだよね。

平山　コーヒー牛乳の母ちゃんは娘を産んだだけで、子供の将来とか関係ないんだね。

春日　愛情とか、親心の前提そのものが怪しいってことでしょ。

平山　産むに至った過程自体も、なんとなく不健康な感じがするよね。作家の岩井志麻子さんがさ、地方のスナックに行って。子供が6人いる大年増のおネエさんがいたんだって。「旦那さん、稼ぐのねえ」って感心したら、「いや、父親は誰かみんな分かんない」って。

春日　う、うん。
平山　とりあえず、生まれたから育ててるんだって。
春日　ある意味、すごい包容力だね。しかし、ちゃんと育てるのがえらいよね。
平山　いや、そんな育ってないみたいよ。やっぱり、弱い畑なんだよね。子供を１人育て て、いっぱしの大学まで行かすなら相当なお金と時間、手間がかかるでしょう。タネ違いが６人いるんだから、厳しいんじゃないですかね。

幸せのコップから、わずかばかりのおすそわけ

――ネグレクトの問題も春日先生のところに来ますか？
春日　直接は来ないけど、保健師さんとのケース検討会とかで関わるよ。保健所にもスーパーバイズをしに行くんで。
――平山先生が小説に書くような残酷な行為を積極的な「明らかな暴力」とするなら、消極的に「ほっておく暴力」は何が違うんでしょう。
春日　割と多いのは、母親がシングルマザーで自称・うつ病ってケース。生活保護を受けていたりさ。気が向いたときは、子供にすごい着飾らせて写真撮ったりする。けど、男が

来るとそのまま遊びに行っちゃう。半分ネグレクトみたいなことをすんのね。こっちが「それじゃダメなんだよ」って言うと、必ずスマホ持ち出して誕生会の写真とか見せて。「私はかわいがっているんです」って。つまり、一貫性がないのよ。

平山　持続もしないんだよ。

春日　そうそう。

平山　気分でやってるわけで。愛情じゃないよね。おもちゃみたいなもんで。

春日　子供の側も一貫性がないと安心感を保てないから、相当なダメージになる。

平山　優しいお母さんが気紛れに邪険になるんだもんね。

春日　そんな怖いことはないんだからさ。それなら一貫してひどい親のほうがまだマシな気がするわ。

平山　俺も子供の面倒見ない女の子を知ってて、やっぱシングルマザーなんだけど、「なんでちゃんと面倒見ないの?」って聞くと、「私が幸せじゃないと、子供は幸せじゃないのよ」って言うんだよね。

春日　そこだけ聞くとさ（笑）。

平山　もっともらしいよね。「私がまず最初に幸せになることが、この子たちの幸せなんだよ」って言うけど、これも逆転してるよね。

春日　完全にね。

平山　立場が弱くて自立や生活ができない側を後回しにするのは、おかしいじゃないですか。でも、その持論はなんかね、すごい固いの。

春日　はいはいはいはい。

平山　反論や説教は受け付けない感じ。最終的には「いいのよ。どうせ分かってくれないんだから」ってなるわけ。「分かんねえよ、バカ！　ブース！」とか言ってさ（笑）。そうなると、「死ぬ～」とか言い出すの。

春日　はい。

平山　でも、やっぱそこは絶対にズレないね。手品のタネがバレちゃうわけだから。自分で自分を騙《だま》してさ、教え込んで。まず、自分の「幸せコップ」からこぼれた分を子供たちに……。

春日　そうそう。

平山　だから、男ができたら途端に遊び行っちゃうわけでしょ。

春日　「幸せのおすそわけ」なんて言ってさ（笑）。

平山　「はい、お土産」なんて。わさび漬けを渡したり。子供は食わねえよ！（笑）

春日　しかし、ネグレクトの場合でも、親が子供をほっぽって毎日パチンコとか行くんだけど、子供が６人もいるとさ、もう上の子が下の子の面倒を見るからね。子供の王国になって、ちゃんと成り立っているんだよね。

平山　子供が強くなってきたら、親の言うことなんか聞かないよね。

春日　でもなぜ、６人も産むんだろうってさ。ひとつの理由は、子供がいると生活保護でお金が結構入ってくるからね。

平山　いくらぐらい？

春日　月40万以上で……。

平山　え⁉　ひと月で40万入ってくんの⁉

春日　入ってくるよ。で、税金かからないじゃん。

平山　本当。下手すりゃ家賃補助だってあるし……。

春日　すっごいおいしいわけよ。

マンションのバイト管理人は見た

平山　俺さ、前にマンションの管理人みたいなバイトやってたときに、ずっと家賃を払わないおネエちゃんがいて。22～23歳ぐらいなんだけど、アルコール依存症なのよ。

春日　はい、はい。

平山　飲んじゃってさ、どうしようもないわけ。ワンルームのちっちゃいとこ住んでたんだけど、そのうち70歳ぐらいのタクシーの運転手と暮らし始めたのよ。「俺は糖尿だから、そういうことはできないから大丈夫だよ」なんつって、「いや、家賃払ってくれって話をしてんだよ、こっちは」って。そしたらね、しばらくしてできちゃったの。

春日　うん。

平山　俺、飲み屋のマスターにね、「糖尿だって言ってたのによ、子供できてんだよ」って愚痴ったら、「バカだな、夢。糖尿ってのは電柱と一緒なんだよ」っていうわけよ。「外で立ってるんだろ」って（笑）。「そんな小ネタいらねぇ。こっちは大変なんだよ」つって。でも、その運転手にはカミさんがいて、家もあんの。そしたら、女の子はやっぱ申請したのよ、生活保護を。引っ越し費用と家賃が月々出るって。

春日　そうね。

平山　結局、うちのマンションから退去したんだけど、本人が探してきた新しい引っ越し先が、酒屋の前のアパートなんだよ（笑）。俺、びっくりしてさ。いやぁ、あの子どうなったかね。だから、生活保護って意外と出るんだよね。

春日　しかも、今、精神だと一番出やすいから。

平山　え!?　精神は出やすいの？　それなら、俺は絶対出るじゃん！　ツイッターに「こいつは頭おかしい」とか「狂ってる」とか頻繁に書かれてるんだよ。公の場で認可されてんのに。こっちは税金引かれるばっかりでさ。ある日、百合子のところから使者がやってきて「平山さん、大変でしょ。東京都が保護しましょう」みたいなことになんないのかね？

春日　一応、医療にかかってないとダメよ。

カウンセラーと占い師

平山　でも、俺はカウンセラーには何度か行ったけど、すごくイヤなイメージがあるの（第3章を参照）。真面目《まじめ》な人もいるから、どうしようもないのと一緒にしちゃいけないんだけどさ。占い師と近いものも感じるんだよね。

春日　占い師のほうが一応は芸を見せるじゃん。

平山　先生、行ったんでしょ？　いや、医者だろうが裁判官だろうが、弁護士だろうがさ、占いにかかるのはいいじゃん。個々人の考えで。ただ、それを公言して本（『鬱屈精神科医、占いにすがる』／河出文庫）を書いた人はあんまり見たことがない。

春日　まあね（笑）。

平山　「ずいぶん勇気ある告白だな」って。効用とか意味はあるんでしょう？　バカにしたもんじゃないの？　占いっちゅうもんは。

春日　いろいろね、告白してみると楽しいよ（笑）。本音をちゃんと告白してみると、「あ、こんなにすっきりするんだ」と思ったんだよ。

平山　いつもは聞く側にいたから。

春日　うん。

平山　言ってみたらすっきりした？

春日　俺、30年間、泣いたことなかったのね。親が死のうが、患者が死のうがさ。

平山　例えが悪いから（笑）。

春日　ところがさ……。「僕は物心ついてから、不安じゃなかった日は一日たりともなかった」って言った途端にね、もう涙腺が決壊して嗚咽《おえつ》したよ。
平山　はぁ。今まで不安でない日々はなかったんだ。
春日　うん。
平山　その一言は言いたかったのね？
春日　多分ね。そしたら、中年女の占い師、勝ち誇ったような顔しやがってさ（笑）。「いいのよ、存分にお泣きなさい」って。
平山　憎げな占い師だ、それ。
春日　「それをカタルシスっていうのよ」って、ばかやろう、俺のセリフだろ（笑）。
平山　ホントだよ、心理学用語じゃん。とんでもないことですよ。
春日　いや、そいつ、とんでもなくてさ。俺が質問したらさ、「じゃ、あなた、患者さんが同じこと言ったら、どう答えますか？」って言いやがったのに、俺、つい答えちゃったわけ。そうしたら、「そう、私もそれが言いたかったんですよ」だって。
平山　とんでもないことだよ。
春日　ね。企業秘密教えちゃったよ。

平山　とんだ狸《たぬき》ばばあじゃないですか、それ。大丈夫なんですか？

春日　池袋の（笑）。ま、それはそれとしてね、一応占い師ってのはさ、やっぱり苦労人がなるじゃない。いろいろとひどい目にあって、最終的に「占いに救われたの、私も」みたいな。だから、欠点とかさ、そういうのは見ることに長《た》けているから、聞けばいろいろと教えてくれる。

平山　じゃあ、聞き上手なんだよね、きっと。

春日　それほど聞き上手って感じでもなかった。勝手にしゃべってんだけどさ、俺が。

平山　なんかやんの？　カード混ぜたり。

春日　オーラが見えるとか言ってたけどね（笑）。

平山　いいねぇ（笑）。先生は何色なの？

春日　はっきり言わないの。あとで「オーラがきれいになってます」とは言ってたけど。

平山　何言ってんだよ（笑）。

ホロスコープが伝える意外な啓示

――先生はその著書のなかでご自身を分析され、お母様との関係にいろいろ原因があると書かれていますが、そのこと自体は占い師は当てていないですよね？

春日　本来は見抜けるはずなのにね。でも、その占い師はいわば直感みたいなことを言うヤツなんで。それとは別に最近、星占いにも行ったのね。

平山　ほう（笑）。

春日　俺の同業者に天敵みたいなヤツがいるわけ。「死ねばいい」って本気で思うようなヤツが。俺のことをツイッターでひどく叩いたり、俺をネットリンチにしようとしたりさ。

平山　ダメだよ、そんな医者。

春日　昔、一緒に飯食ったこともあるんだけどね。そいつのことを星占い師に聞いたの。ウィキペディアに生年月日と出身地が書いてあるからさ。ホロスコープ作ってもらったら、占い師がすっげえうれしそうな顔して。俺のとそっくりだって（笑）。

平山　ホロスコープが？

春日　そう。だから完全に近親憎悪というか、『ウィリアム・ウィルソン』（ドッペルゲンガーを主題にしたエドガー・アラン・ポーの小説）ね。ただ、向こうは外向型で人をコントロールするのが好きで、俺は自分のことしか興味ないって。近親憎悪って聞くと、納得いくけど、すげえ不愉快にもなる。

平山　分析はできても、対応は分かんないよね。
――先生は「占い師の役目は構造化することだ」とも述べられているので、その意味では、占い師はいい仕事をしたんでしょうか？
春日　しかし、俺、ホロスコープで安倍晋三とも相似形らしいから。
平山　あら、そうなの。
春日　最初は驚いたけど、考えてみると割と運が強いのは似ているかもね（笑）。暗殺される前はさ、なんやかんやで運が悪いようで良かったわけじゃん。
平山　運は良くても、スマートなやり方を選ばなかったから、安倍ちゃんは賢くないんだよね。
春日　しかし、親近感を抱いちゃってさ。それまでは、テレビに安倍が映ると「死ね」とか言ってたのがさ。「安倍ちゃーん」って（笑）。
平山　何それ（笑）。
春日　女房もそれを知ってるから、暗殺されたときに本気で俺のことを心配してた。
平山　「大丈夫？　動揺してない？」みたいな。
春日　いや、「患者に刺されんじゃないか？」って。

平山　あ、そうか。ホロスコープが一緒だから。事件が起きるんじゃないかって？　奥さんは看護師なのに、２人してホロスコープに翻弄《ほんろう》されてるの？（笑）

春日　なんとなく信じたくなるんだよね。だけどさ、実際は星占いって未来はあんまり当たらない気がする。だいたい、９・11だって３・11だって誰も当ててないんだからさ。

平山　３・11以前に活動してた占い師は全員辞めてほしいよね。あれこそ絶対言わないといけない案件じゃん。

春日　ただ、過去のまことしやかな説明装置としてはいいね。

平山　「実は分かってたけど、大きな混乱を引き起こすから、あえて黙ってた」とか。言いそうなヤツいるよね。俺はね、占い師ダメなのよ。相性が悪くて。

春日　ああ、平山さんが茶化すからでしょ？

平山　そんなことないけど（笑）。占い師が占いを始めるときってさ、最初は「はい、手のひらを見ましょう」とか「ああ、そうですね」って敬語じゃん。それが、最後には「お前は！」とか言い出すんだよ（笑）。前世を見るヤツが３人ぐらいいて、全員が「お前の前世は犬だ」って俺に言うんだよ。「犬ってなんだよ！」つって。

ＤＮＡの叫びを聞け

平山　もっと驚いたのは、「ＤＮＡの声が聞こえる」ってバアちゃんがいて。「ＤＮＡって口あんのかよ？」って思ってさ。ひどいんだよ。診断前に軽くマッサージをすると、ＤＮＡが何か言ってくるんだって。で、金玉の横の柔らかい肉をむしるように揉《も》むのよ。「痛い、痛い」って騒いだら、「ここが一番よくしゃべる場所だ」って。「そんな場所、あんのかよ⁉」って。ものすごい力でグイグイやるから、涙が出てきて。「勘弁してよ」って。「じゃあ、これで許してやる」みたいなさ。

春日　（笑）

平山　金玉の横を見たら黒くなってて。赤なら許せるけど、黒は傷害事件だよ。その後で、今度は脳天の頭蓋骨のつなぎ目、あるじゃないですか？

春日　はいはい。

平山　あそこを押すと「よりＤＮＡの声が聞こえる」んだって。「もういいよ」って言ってんのに、そこをさ、昔の土産物屋で売ってたようなデカいペン、１２０色ペンみたいなのでグイグイ押すんだよ。「痛いよ」「いや、聞こえる、聞こえる」って。

取材で行ったんだけど、周りがゲラゲラ笑ってるわけ。編集者なんか喜んじゃってさ、

「どうですか？　平山さんのＤＮＡはなんて言ってますか？」って聞いてさ。そしたらバアさんが「この人のＤＮＡは、『風呂から出たら足の指の間も拭け』って言ってます」って。「は⁉　それだけ⁉」って俺が聞いたら「はい」って。「このババア、ぶっ殺すぞ」と思ったけど、それで１万円ふんだくられてよ。股ぐら黒くされて、脳天押されて。「足の指の間まで拭きなさい」だって。

――占いってすごい商売ですよね。申告もやりたい放題だし。春日先生のオーラ占いだって……。

春日　うん。１万円以上はする。

平山　そんなすんの？　ゴックン、ゴックンじゃん。なんだよ、おい。占い師ってどうやったらなれんの？　でも、俺はつまらない話は聞きたくないからダメか（笑）。メソメソすんのあんじゃん。

春日　そんなもんのほうが多いんだからさ。

平山　元気な人は来ないからね。相談はだいたい恋愛なんでしょ？

春日　あとは俺みたいに、人生がうまくいかないとかさ（笑）。

平山　先生の場合はクエスチョンがでかすぎて。「人生うまくいかない」「そりゃ、私も同じだよ」って思われちゃうよ。
でも、精神を病んだ人に話を戻すとさ、占いで治る人はほっといても治るのかしら。先生のところに病気で来る人は、やっぱ薬飲んだりしきゃ治んないでしょ。占いで治る心の病はどうなんだろう。

春日　やっぱり、きっかけとかさ、うまい「一言」が欲しいじゃん。

平山　占い師が心の病を防波堤になって止めてるっていうことはあるの？

春日　そりゃあ、あるんじゃない。

平山　なるほどね。いい商売なんだ。

春日　うん。

身の危険を感じた話

――先ほど、春日先生の奥様が「患者さんに殺されるかも」と心配された話がありましたが、実際に大阪で北新地ビル放火殺人事件（２０２１年、心療内科・精神科専門のクリニックが放火された）が起きていますよね。そして、平山先生も小説家として表に出る仕事をされているので、ファンに刺されたりする危険性を感じたりはしますか？

平山　俺の場合は特殊作家だからね。普通の作家じゃないから。

春日　ストーカーみたいなの、いない？

平山　何人かいたけど、言っちゃうからね。「俺が作家として対処してる間はいいけど、そうでなくなったら大変だよ。分かる？」って。そうすると「ううぅ」とか言っていなくなる。でも、しゃべってやると気が済むところはあるみたいよ。

　ストーカーの分類で言うと、俺に来たのはナイーブだったの。本人がストーカーやってる意識もなくて、病理まではいってない。そもそも、俺なんてほら、くさやみたいなもんだから。食ってくれるファンはありがたいからね、いいんだけど。

　あと、他の作家と違うのは、「『死ね』ってサインに書いてください」ってヤツがたまにいんのよ。俺の名前書いて「何々様へ、死ね」ってさ（笑）。ブックオフにでも流れたらどうなるのよ。それはちょっと困る。

春日　しかし、そういうないものねだり的なヤツは多いよね。

平山　ネットに投稿する書評とかも、分析じゃなくて、自分の気持ちに乗ったか乗んないかをただ書いてるのね。俺の印象だと。

春日　そういう輩の「星ひとつ」が、アマゾンに反映されるのがすげー不愉快で。

平山　またさ、評価の投稿は消されないからね。
春日　そうそう。絶対に突き止めてひでえ目に遭わせてやろうって思うよね（笑）。
平山　「平山夢明の新作、相変わらず気持ち悪かったから星1」とか。「読まなきゃいいじゃん」って。そりゃお前、中華料理屋に行って「油を使ってる」って怒るのと一緒だぞ。あと、「年をとってダメになっている気がする」なんて。好き勝手書いてさ。
春日　そうそう。
平山　だから、書評や感想も褒めてるのは読んでうれしいけど、ダメなヤツは「不感症だったんだな」って受け流して、あんまり気にしない。春日先生はちょっと傷ついたりするんでしょう？　ナイーブだから。「せっかく書いたのに、なんだこいつ！」って。
春日　そう。恨むし、呪いをかけますね。
平山　売れれば必ずアンチも増えるんだよね。エゴサーチも2ちゃん（現・5ちゃんねる）とかだと、厳しいと思いますよ。
春日　ああ、そうだろうね。
平山　俺も最近は見ないもの。あんまりにもひどいこと書いてあると、ツラくてツラくて。連載なんかで今後の展開予想が書いてあって、その通りだと「まいった！」ってなる。書く気なくなるよね。「なんで先に言うんだ！　『つまんねー』って書くな！」とか。

逆恨みされるのは個人でなく病院？

春日　精神科医の場合もさ、やっぱり逆恨みするようなのはいる。あと妄想の登場人物として組み入れたりとか。ただ、意外と個人が標的になるより、病院のほうを恨む形になるのが多い気はする。

平山　予測つかないんですか？　「こいつちょっとやりそうだな」とか。ずっと見てるわけでしょ。例えば半年くらい診察してさ。

春日　うーん。少なくとも自殺は全然、予測つかないことが結構あるよ。

平山　元気に帰ったのにやっちゃったみたいな？

春日　そうそう。自殺する人はそれとなく前兆があると思うでしょ？　例えば「去るときにいつもより深々と挨拶した」とかさ。

平山　ぱっと後ろ見たら、「あ、先生の窓からあの枝が見えるんですね」とかつぶやいたり。そういうことないの？

春日　そんなの、ないない。

平山　ドラマであるじゃん。そういうのやんないの？

春日　ないよ。

平山　彼女が去った後をふっと見ると折り鶴があって、「ハッ！」となるとかさ。「待ってくれ！」みたいな。

春日　ないよ、全然。予約日に来ないと思ってたら亡くなってたとか。そのまま誰も連絡してこないで分かんない場合もあるけど。むしろ、親族が連絡してくるほうがイヤなんだよね。訴えられんじゃないかとか。

平山　あー、そうね。でも、本当に分かんないんだ。

慢性自殺志願者のイヤな最期

春日　慢性自殺志願者ってのがいて。とにかく死にたがるのね。電車に飛び込みゃ一発なんだけど、それはしないの。ただ、包丁でお腹を刺して、ちゃんと腹膜を突き抜けるぐらいはやるんだよね。気合は入ってんのよ。

平山　下手すりゃ、変なとこ刺さりゃ死んじゃいますよね。

春日　結構、危ないことをするんだよね。ただ、本人もキリスト教か何かの教会通ってたりしてさ。全然、分かんなくて。
そういうことを繰り返すんで、ちょっと目が離せない。そのとき、俺は松沢病院にいて、一番警戒厳重な病棟を担当しててさ、そこで様子を見ることになったの。でも、一生預かっておくわけにもいかない。しばらくおとなしいんでいいかなと思ってたらさ、トイレの洗面所で石鹸《せっけん》を飲み込んで。

平山　それは窒息するくらい、ある程度、大きい石鹸？

春日　うん。しかし、普通はやるとは思わないじゃん。

――あんな作品を書いている平山さんがイヤな顔をしているのが不思議ですね。

平山　いや、確か、俺のいとこがそれで死んでんだよね。

春日　えっ⁉

平山　飲んだの、やっぱ石鹸を。石鹸の種類までは分かんないんだけど。

春日　苦し紛れに思いつくひとつの選択肢なんだね。ぬるぬる石鹸。

平山　触ってる間にね。「あ、これだな」ってひらめくのかもしんないね。先生は患者さんが亡くなっても、感情面で影響受けないようにブロックできるんでしょう？

春日　うん。ただね、ときどき生々しいのあるわけ。入院先から行方くらまして、地下鉄に飛び込んでさ、もうミンチになる。警察が身元確認に指紋を取りに来たりすると、やっぱり生々しさに圧倒されますわ。

平山　でも、見せたりしないでしょ、ぐちゃぐちゃの写真とかは。

春日　うん。それはないけどね。

ひどい自殺の話

平山　俺、ひどい自殺の話を聞いたことあって。知り合いの娘さんだったかな。帰ってきたら駐輪場にブルーシートが張ってあって。高層マンションなのよ。そこから飛び降りた人がいて。

家に帰ったらお母さんがカレーを作っている。今日はマグロの漬け丼を食べるはずだったのに、「どうして？」って聞いたら、自殺の現場を見たらしくて。飛び降りた人、エントランスの屋根にダーンと当たったんだよ。その屋根が雨が抜けるように格子状なの。

春日　あっ！　はいはいはいはい。賽《さい》の目切りね。

平山　「ブツ」になっちゃったって。だから、「今日はカレーなのよ」って。自殺もさ、ひどいのを見るとね、結構ショックだよね。俺も昔はよく見たの。最近はあまり電車乗らなくなっちゃったから遭遇しないけどさ。

春日　松沢病院には池があるんだよね。将軍池っていうさ。あれにときどき飛び込む患者がいて。

平山　深いんですか？

春日　いや、そんな深くないと思うんだけどね。だけど、ポケットに石なんか入れてたりするの。

平山　こっそりやるんだ。だけど、人って死にたくなるときあるよ。長い間生きてると。

春日　「死にたくなる」と「死ぬ」のは別じゃん。電車を待っててさ、ガーッと入って来るのを見ると、「これには飛び込めねえな」っていっつも思うもん。

平山　痛いじゃん。ゲンコで叩かれても痛いのに、あんなもので千切られたらどんだけ痛いんだよって。まあ、俺も還暦を迎えてさ、無理しなくても逝けるんだって気分になるの。そんなに慌てなくてもさ。

　自殺も憤死みたいに怒って死ぬような、当てつけ的にガーンと逝くのとかあんじゃん。でも、この歳《とし》になりゃチョボチョボよ。人間なんて毎日ハズレくじ引いてるようなもんだけど、たまに当たりも出るじゃん。まあいいや、ここまで来たんだし。それが一番の予防の薬だよね。変な「あきらめ」感？

春日　はい。

平山　あんまり高いとこ見ないの。元々見ないけど。さらに見なくなるね。

死を決意させる言葉の魔力

春日　しかし、占いの「一言」じゃないけど、死にたくなるときって、変な言葉に操られる印象があるのね。結局、「死んでやる」って思うと、迷いなく飛び込めるとか。

平山　やっぱ、当てつけみたいなのでしょ？

春日　でも、それが「死んでやる」って言葉になると、もう何かある種のクソ度胸みたいのが生じるんじゃないかな。

平山　要は目標が設定されるみたいなことなんでしょうかね？

春日　あるいは自分の立ち位置がはっきりするみたいな。「死ぬ私」っていうのがさ。

平山　例えば、うつの人が本当に症状が強いときは自殺はしないんだけど、ちょっと治りかけだと危ないって言うじゃない？　これは都市伝説じゃなくて、実際そうなの？

春日　あるね。だって、一番ひどいときは死ぬ元気もないんだよ。

平山　本当に元気ないの？　ご飯も食べないの？

春日　うん。ベッドからトイレに行くのに2時間とか。這《は》っていくから。

平山　もう本当に立ち上がらないんだ？　ちょっと「液状」になる？

春日　そうそう。ズルリ、ズルリと。

平山　ご飯とかどうすんの？　何も食べないの？

春日　食う元気ないよ。

平山　家族がいれば、「ご飯食べよう」とか言ってくれるけど。

春日　独り暮らしだと相当やばいよね。だけど、孤独死なんて割とそれに近いのかもね。

平山　医者に行けばいいのに行かないって判断なの？　それとも動けなくて？

春日　動けないっていうのもあるし、自分を過小評価するようになるからね。「こんな私はもう死んで当然だ。生きている価値がない」とかって。

平山　別に自分で立候補して生まれてきたわけじゃないじゃん。勝手にカカアと親父が喜んじゃっただけだからさ。価値と言われてもねぇ。

――うつで自死する場合と、「巻き添えに誰かも一緒に」って考えの間には、やはり深い溝があるんですか？

春日　いや、俺はそんなないと思う。要は「拡大自殺」だからね。日本人のメンタリティとして心中みたいなことは案外やるかも。「この子を残していくほうが不憫《ふびん》だ」とか、そういう発想で。だから外国はあんまりないっていうよね。いわゆる親子心中なんかはね。
――逆に、外国だと学校に侵入して皆殺しにしてから、自分も死ぬみたいな事件が起きますが、そういうのは……。
春日　うつだとあんまりないと思う。基本的にうつは自分を責める。「私みたいなのが生きててすいません」みたいなノリだから。そういう失礼なことはしないよね。自暴自棄とは違うから。
平山　うつは真面目なんだよ。
春日　だからこっちもね、同情心が生じる。

荒くれた病気――躁病

平山　それが荒くれた病気だと、いまいましくなるでしょ？　攻撃的で横柄なのもあるんですか？
春日　躁病がそうだね。こっちが殺してやりたくなる（笑）。

平山　おとなしいときから一転、ガーッとなって「今年は映画を5本撮る！」とかさ。「無理だよ」「いや、やる。今すぐ電話してくれ」とか。「イヤだよ。お前、焚《た》き木みたいに人を投げ込むんじゃねえよ」ってさ。

春日　躁病は最悪だよね。攻撃的になるから。

平山　口調も荒くなんのよ。複数の相手に「お前ら！」とか言うの。一人ずつ指すんじゃなく、横なぎなんだよ。この「横なぎに人を指さす」って動きは危ないよね、かなり躁のサインだよね。

春日　で、いきなりロールスロイス買っちゃったりしてさ。

平山　へぇ、本当？

春日　それとね、何かに立候補する率が高い。「天下取るから」って。

平山　「俺は太閤《たいこう》になるしかない」と。今までは魚屋のじじいだけど、そのうち総理大臣になるって（笑）。

春日　攻撃する一方で、こっちに恩義を感じるとお礼のハガキとか寄こすんだけどさ、それが居酒屋の品書きみたいな字でさ。

平山　素晴らしいね、そういうの。

春日　黒川紀章が亡くなる直前、完全な躁状態だったじゃん。
平山　あ、そうなの。かなり持ち上がってたのね？
春日　やっぱり立候補して。車の上で歌なんか歌っちゃってさ。
――窓がまん丸で、自分の建築作品「カプセルハウス」を思い起こさせる選挙カーでしたね。
春日　いや、あんなになっちゃうとは思わなくて。
平山　うつがあって、躁へ行っちゃったの？
春日　あの人は突然みたいに見えるんだよね。ただ、背景は分かんないけど、もろに晩節を汚したなって（笑）。
平山　なんで、そんなにうれしそうなの（笑）。
春日　だって、有名人でさ。日本を代表する建築家で。一時期は『週刊プレイボーイ』なんかで、「今のイケてる男３人、黒川紀章と三島由紀夫、横尾忠則」みたいな扱いだったのが「このざま」と思うと。
平山　また悪いこと考えて（笑）。
春日　でね、本当は俺、あの人の伝記を書きたいのね。

平山　晩年の部分だけ長いんじゃない？　華々しい前半は薄くってさ。普通の伝記は称揚するように書くじゃん。きっと春日先生のはずいぶんバランスの悪い伝記だろうなって。

春日　華々しい部分は「中略」よ。

平山「まぁ、いろいろあって」みたいな。

春日　そうそう。でも、絶対に誰かが伝記書くだろうと。いろいろ調べてさ、少しずつでも書いて発表してるヤツいないかと思ったら、全然いないの。伝記に近いのはあって読んだけどね。後半部分のうまみが足りない（笑）。

平山　いろいろあって人間だからね。案外、後年の気配を感じさせるエピソードがあったかもしんないよ。紀伊國屋文左衛門みたいなこと（全財産を十文銭の鋳造にぶち込み、大失敗したという伝説がある）をしてるとかさ。

春日　建築家でいわば王様。自分の背丈だけが思い通りにならなかった、ふふ。

平山　それ、うれしいんでしょ？（笑）　宇宙のバランスが取れてる。王様も晩節まで入れば、ちゃんとバランスが取れてるわけね。

精神科医が青ざめる一言

春日　しかし、躁状態で最後ってのは惨めだね。

平山　でも、本人はハッピーなの？　それともなんか感じてるの、やっぱ？

春日　高揚感とイライラとが混ざったような感じ。「こうしちゃいられない！」って。だから、何をやっても中途半端でさ。

平山　よし、内閣総理大臣の次はアメリカ合衆国大統領だ！　そして、俺は時空を超えて地球を眺める存在になる！（笑）やっぱり躁ってかなり熱いね。見てると楽しい。

春日　いや、関わったらとんでもないよ！

平山　でも、隠れた部分を探るのもいいんだよ。最初、相談に乗る感じでさ。ちょっと剝《む》いてやったら、ものすごい面倒くさかったりして。

春日　だから、躁うつは大変だよね。うつのときに優しくするじゃん。しばらくして「調子どう？」って聞いたら、「絶好調です！」って。

平山　ああ、「今日は日食だ」って（笑）。昼夜が回転するのね。絶好調なんだ？

春日　どんな精神科医でも、患者が「絶好調」って言ったら青ざめるね。

平山　「これはまずい！　緊急事態だぞ、こいつ」って。ピーピーピーピーって、パトランプが回る（笑）。

春日　それに比べたら「死にたい」なんて、なんてこともない。

平山　え？　躁ってそんなに危ないの？　明るいイメージもあるじゃん。爽快、元気ハツラツとかさ。

春日　いや、明るいように見えるけれど違うの。竹中直人の持ちネタの「笑いながら怒る人」に近い。

平山　えー!?　そんなのなの？　なんか面倒くさいね。

春日　本当、面倒くさいよ。薬も飲まなくなるしさ。

平山　「俺はもう治った。大丈夫だから」って？

春日　「じゃあ、なんで病院に来るんだ？」って聞くと、「治った宣言をしにきました」とかさ。

平山　もうかなり末期だね。その状態で攻撃してきたりしないの？　刺したりとか？

春日　それはないね。

平山　あ、そうか。「こんなとこで俺の夢を止めてはいけない」と。

春日　これは「俺の黒歴史」なんだって。

平山　そうなると、浪費したりする？

春日　浪費して、セックスしまくるでしょ、だいたい。

平山　セックスしまくんの？（笑）　それはいけない。危ないよ。「風の谷」へ行くんじゃないんでしょ？　その人、近所に行っちゃうんでしょ？　我が家で奥さんとするの？

春日　いや、ほら、浪費とセットになってるから。

平山　じゃあ、ソープとかキャバクラへ。あっという間に溶けちゃうよ、そんなお金。どうすんの？　溶けても元気なの、その人？

春日　元気よ。

平山　すっごいね。

春日　だけど、そのうちにまた、落ちてくる。

平山　それ大変だよ。どうなんの？

春日　だから、そこで自殺する人、結構いるんだよ。現実が見えてきて……。

平山　遠くにボヤが見えて。「火がついてるし、焦げた匂いもするな」と思っているけど、「まあ、いいか」って遊んでると、そのうちゴーゴーいいだしてさ。ヤバイね。

春日　でしょ？

平山　俺はそんなの原稿の締め切り以外、できないわ（笑）。躁とうつのバランスってどうなってるの？

春日　躁だけの人は滅多にいない。

平山　やっぱり「躁」と「うつ」なんだ。

春日　ほぼ「うつ」だけど、ときどき「躁」がぴょこぴょこ現れるタイプがあるの。1週間とか2週間とか、短くね。しかも衝動的にいろいろやらかすからさ。躁うつじゃなく、パーソナリティ障害だと思われる。そういうのが意外と多いって、最近になって分かった。

平山　なるほどね。「躁」でやらかしたツケが、「うつ」のときに負債で重なってくるじゃん。だとしても、衝動を収めておけないんだ。過活動だからね。

植松聖は躁病？

春日　相模原障害者施設殺傷事件（2016年、神奈川県の福祉施設の元職員が起こした大量殺人事件）の植松聖も、ちょっと躁状態だったんじゃないかな？

平山　言ってることも勝手論でおかしいよね。

春日　あれも承認欲求みたいなものでさ。みんなが「そうだ、そうだ」って賛同してくれると思ったのに、誰も言わない。

平山　当たり前だよね。でも、そんな考え方や理論が躁っぽいのかもしんないね。仮に躁なら刑法39条（1　心神喪失者の行為は、罰しない。2　心神耗弱者の行為は、その刑を減軽する）が適応されたりするの？　そんなことないんでしょ？

春日　いや、躁病ならかなり減刑はされるんじゃないの。ちゃんと証明できればね。

平山　受診歴があるとか。やっぱり、それを証明するのは精神鑑定？

春日　うん。精神鑑定で最も問われるのは、「物事の判断能力があったかどうか」なのね。「理非善悪を弁別できたかどうか」を聞いてくるわけ。

　結局、判断能力に関しては意識が朦朧《もうろう》としていたり、精神病だったりして、本人の責任が完全に問えないことはありうるわけじゃない。朦朧としたり幻覚妄想に囚《とら》われたりしていたら、むしろ本人のほうは病気の被害者だから。

精神鑑定のこわい話

平山　でも、精神鑑定って必ず被告と原告、両方出してくるからぶつかるわけでしょ。

春日　だけど、それはある程度、複雑な場合だよね。俺がやるようなのは、だいたい俺が書いたので通っちゃう。しかし、手間はかかんのよ。

平山　手間かかんの？　本人と話もするんですか？

春日　するよ。

平山　じゃあ、あんまりひどい人はちょっと怖いね。

春日　(小声で) 怖いの。

平山　(笑)。でも、ちゃんと刑務官とかが立ち会いの状況でやるんでしょ？

春日　2人でやるんだよ。

平山　人殺しとサシでやんの？

春日　一時、東京拘置所によく行ってたんだけど。2人にされてね、「終わったらこのスイッチを押してください」なんて言って、出てっちゃうの。

平山　「ちょっと待って！」って (笑)。

春日　さらにね、精神鑑定の場合は、「鑑定留置」っていうんで、拘置所だけでなくて精神科病院にしばらく収容して様子を見るんですよ。

平山　人を殺した人も、そういうとこへ入って？

春日　普段の生活を見るってんでね。

平山　じゃあ、よく聞く「鑑定留置」って、刑務所や拘置所じゃなくて「病院に入った」ってことなんですね。

春日　そうそう。

平山　「今は入ってます、鑑定します」って。

春日　以前、ヤクザの下っ端みたいなヤツでね。覚醒剤はやめたけど、アルコールをある程度飲むとスイッチが入って、女を背後から刺す男がいて。女は全員、許せないらしいのね。オレを小馬鹿にしやがって、と。自転車に乗って、花やしきに行って刺して。また自転車で逃げたとか、なんかショボイんだよね。40前後の男だけどさ、最低でしょ。

平山　それじゃあ、第３コーナーを回っちゃってるじゃん。とんでもないな。

春日　この場合、精神鑑定で問われるのは「原因において自由な行為」なのね。酒や覚醒剤でやらかした場合は、その時点では分別がつかない状態だったかもしれないけど、「こんなふうになりかねないほどに我を失うってことは、お前も見当つくだろう」と。それをやったんだから、「責任を取れ」と。

平山　うん。

春日　そいつ、捕まったのがパチンコ屋でね。やっぱりパチンコをやってるネエちゃんを後ろから刺して。ところが、彼女は美容師だったの。パチンコ台のガラスにそいつの顔が映ったのね。で、「私は美容師なので、鏡に映った顔のほうがよく頭に入るんです」って。その証言がかなり大きくて、捕まったっていうんだよね。いい話でしょ。

平山　そうか。背後から刺されるから顔を見てないわけだ。「この人ですか？」って聞かれても、まともに見てないから分からないよね。

春日　そう。ただ、パチンコの女性は……ガラスに映った犯人の顔を見ていた。

平山　ちょっと松本清張の短編みたいな。

春日　でしょう？　とにかくその男は普段、おとなしいのね。ショボくさいヤツでさ。で、酒絡みの犯行だと再現実験するんだよね。とにかく酒を飲ましてみよう、と。

平山　うん。

春日　で、そいつが飲むのは焼酎のトライアングル（商品名。かつては松田優作が広告キャラクターだった）なの。それを飲ませて一定時間、様子を見ながらアルコールの血中濃度を測ったりしてさ。だけど、俺が酒を買わなきゃなんないのよ。

平山　そうなの？　官費とかじゃなくて？

春日　うん。ただね、別の話になっちゃうけど、鑑定料金って全然決まってないのね。もう、こっちの言いなり。
平山　「この人は手間がかかったから1泊1万円、こっちは2万円」とか。
春日　多分、入院費みたいなのは別に出てるんだけど、鑑定料ね。
平山　作成料か。
春日　そうそう。他がいくら取ってるのかよく分からない。
平山　みんな言わないの？　開示して。
春日　時価だよ（笑）。俺んときは10万円くらい請求したのかな。だけど一緒に検査をした心理士に半分あげるとか、そういう感じ。もっと取ってる人もいるんじゃない？

春日先生、危うし！

平山　で、それ、どうしたんですか？　お酒飲んで。
春日　酒と一緒に、おつまみも出してね。それも俺が買ってくるわけよ（笑）。でも、トライアングルって安いから、酒屋で売ってないんだよ。結局、コンビニで買って。「はい、どんどん飲んで！」って。
平山　再現しないといけないからね。

春日　でも、凶行に及ぶはずの酒量まで飲んでも変化がないの。「おかしいな」って、下向いて、血中濃度とかクリップボードの記録紙に書いてたのね。それまで冗談言ったり、雑談してたんだけど、急におとなしくなって。「あれ？　静かになったな？」って、ふと顔を上げたらね。そいつが口をポカンと開けてるの。スルメなんかがぐちょぐちょ入ったまんまなのね。ポカンと開けてこっち見てるのよ。

平山　おおお。怖いよ（笑）。

春日　直感的に「やばい」って。でも、保護室は鍵が閉まってる。だから扉を叩いて看護師を呼んで。施錠を外してもらわなきゃなんないんだよね。で、「俺、ちょっと用があるんで、席外すね」って言ったらさ、「お前、どこ行くんだ！」って言うの。

平山　怖い（笑）。

春日　俺、扉のところで「早く開けてくれ」って言ったらさ、後ろから近づいてくるの。ポテトチップを踏み潰す音が聞こえてくるわけ（笑）。死ぬほど怖くてさ。

平山　すごいね、それ。

春日　間一髪で扉が開いて。すぐみんなで取り押さえて、注射打って眠らせたけどさ。

平山　本当にスイッチ入っちゃったのね。顔の表情も違うんでしょ？

春日　うん、ポカンって口開けた顔。いやぁ、あれは怖いよ。凶悪な表情じゃないのが、余計に怖い。

平山　ヘタしたら目に指入れたり、鼻を噛んできたり、滅茶苦茶なことするでしょ？

春日　まったく容赦ないね。

平山　動物と一緒だもんね。銃でも持ってないと危ないよね。机の下に引き金弾くだけで向こうがふっ飛ぶみたいな強力なヤツを。

春日　本当だよ。少なくともスタンガンぐらいは持たせてほしいよね。

平山　俺なら、危険手当で倍増しにしたいね。今も拘置所はその状態なの？

春日　そうそう。だから、精神科救急も危ないんだよ。机ひとつ隔てただけなんだもん。

平山　お巡りはいるんでしょ？

春日　一応、いるけどね。

平山　犯人の手が届く近さなんだね。お巡りが連れてくるなら、飲み屋で刃物を振り回したとか、人をめちゃくちゃにつぶしたのが来るわけね。

春日　そうそう。

平山　ホヤホヤの人が来るんだよね。イヤだな、それ。

殺した人数で星マーク

春日　だから、患者用の丸椅子に鉛を入れてる精神科救急もある。

平山　一見、普通の椅子だけど、「コノヤロー」って持ち上げようとしたときに「あれ?」って。でも、逆に持ち上がっちゃったら危なくて仕方ないね（笑）。

春日　とにかく、いろいろ危ないの。俺が松沢病院にいたとき、一番へビーな病棟があって。

平山　その危ない病棟、すごいのがいっぱいいるんだ?

春日　殺人犯みたいなのばっかりだからさ。俺が最初、そこに配属されたとき、当時はとにかく看護師は男だけなのね。女性だと人質に取られるからって。で、看護師長が入院患者の一覧を作って、名前の横に星マークとかつけてるの。だから、看護の大変度ミシュランかと思ってたんだよ。

平山　「この人は星3つ」とか。

春日　そしたら「殺した数です」って（笑）。

平山　えぇーっ!?

春日　5つまであった。

平山　本当!?　それは裁判で「この人は病気だから刑務所には入れません」「拘置所には入れません」っていう人のことなの？

春日　そう。その頃は医療観察法がないからさ。危険なのを退院させて何かやったらさ、その医者は責任を負わされるじゃない。だから、誰も退院させたくないんだよね。

平山　じゃあ、そういうところには、佐川くん（佐川一政。パリ人肉事件の犯人）とか、あと少年Aの酒鬼薔薇とか。そういうのも入るんですか？（偶然にも佐川一政はこの対談を行った日に亡くなっている）

春日　佐川は入ってた。フランスでは「日本脳炎の後遺症」とか言ってたけど、日本に来て観察したら「ただのパーソナリティ障害」で。とっとと退院させたんだよ。

平山　彼が主催の焼肉パーティーに呼ばれたことあります。

春日　ああそう（笑）。俺、墨東病院にいたときに電話かかってきて。俺の本を読んだら感ずるものがあるんで診てほしいって。「どうしましょうか？」って電話を受けたスタッフが聞くから、「絶対ダメ」って。

平山　感じられても困る。

春日　最初はなついてきても、必ず途中で「裏切られた」って言って、逆恨みするっていていうのを、編集者とかいろんな人から聞かされていたしね。
平山　結構、大変ね。トラブルが。
春日　やっぱりね、松沢病院に何か未練があったみたい。病院で運動会やるんだよ。昔は賞品も出たのね。生活用品とか。
平山　お菓子とか。
春日　そうすると、ガンガンに薬入って動けないはずの患者が全速力で走ったりして、すげぇの。
平山　薬入ってるから、詐病じゃないよね（笑）。
春日　でさ、当時の院長が俺を呼んで、「君、ああいうの好きだろ」って指さすの。そしたら、ちょっと遠巻きな感じで佐川くんが立っててさ。
平山　「ああいうのが好きだろ」って（笑）。酒鬼薔薇はどうだったんですか？　医療少年院とは違う？
春日　精神鑑定はやったはず。ただ、あれは関西だからさ。神戸でしょ。
平山　ああ、そうか。こっちじゃないんですね。

重要な裁判記録が破棄された件

平山　だけどさ、酒鬼薔薇事件を含めた大量の裁判記録、各地の地裁で処分されちゃったんでしょう（2022年10月に発覚）。あり得ないよね。

春日　とんでもないよね。確かに資料は膨大だから、保管が大変ではあると思うけど。

平山　でも、犯罪史的に重要な患者の記録がさ、証言とかのちのち研究対象になるわけでしょ。それが全部なくなっちゃうって。誰かこっそり持ち出してるってことはないの？

春日　昔のだったら、古本屋のカタログ販売を見てると「阿部定の鑑定書　写真付き」とか出てるよ。カストリ雑誌や猟奇系みたいなのを扱ってる古本屋で。

平山　ええ!?　写真付き!?　じゃあ、何？　ちぎっちゃったブツとか？

春日　うん、カタログに「その写真」が載ってたもん。びっくり。

平山　当時だから手書きですよね？　いくつかあるんですかね？　コピーみたいなのが。

春日　多分、保管してた誰かが亡くなって、遺品整理で出るんじゃないかな。千葉大チフス事件（千葉大学医学部附属病院で細菌研究をしていた医局員が、患者や同僚にチフス菌などを故意に感染させたとして、1966年に逮捕された事件）なんかも、関係書類が全部出てたしね。

平山　裁判記録の紛失は、酒鬼薔薇だけじゃなくて他の少年事件もさ、重大犯罪をいっぱい廃棄しちゃったわけでしょ。何か闇の勢力でも動いてるのかしら。

春日 「少年には罪がない」とか本気で思ってる輩が捨てたんじゃない？

平山 「これはおかしい」って（笑）。そいつもだいぶおかしいよ。

春日 地方裁判所って結構、変な判決出すからね。ただ、俺なんかが鑑定書を書くのは結構しょぼめの事件だけど、それでも資料をいろいろ預かるの。証言録とか。そういう資料も積んだら2メートル近くの高さになる。

平山 そんなになるの？

春日 それを全部読むの。付箋つけて。だから、たとえ20万円もらっても安いよね（笑）。しかも、鑑定書だって100枚以上は書くわけ。それで、読むのは5人とかさ（笑）。

平山 じゃあ、酒鬼薔薇事件なんかの関係資料はものすごい量っていうことだね。

春日 トラックいっぱいみたいな量じゃない？

平山 だけどさ、デジタルで保管すればいい話なのにねぇ。

留置所と白衣の秘密

春日 今、東京拘置所は建て直しちゃったけど、俺が知ってた頃の内部は本当ものすごい複雑でさ。何階にいるのかすら分かんなくなるの。

平山　それはもし暴動なんかがあったときに簡単に制圧できるように？

春日　多分ね。

平山　昔のテレビ局もそうだったよね。部外者が簡単に入れないようにわざと複雑にしてあったから。拘置所なら刑場もあるわけでしょ？　中に入ってすぐ分かります？

春日　いや、全然、分かんないよ。

平山　教えてもくれないのかな？「どこですか？」って。

春日　「見学させて」って言うんでしょ（笑）。

平山　いや、大変そうじゃない。刑を執行する側の良心の呵責《かしゃく》が。

春日　俺だったら平気で死刑ボタンを押しちゃうけど。

平山　そんなこと言って、後で忘れられなくなっちゃうんじゃないの？

春日　いや、なんないね。俺、意外とそういうとこは冷たいから。

平山　春日先生はね、普段はニコニコして優しいじゃん。でも、白衣を着るとちょっと雰囲気が変わるんだよね。おまわりさんとかもそうだと思う。制服を着ると冷静になるみたいよ。やっぱ意味があるのね、制服の力っていうか。

春日　そうそう。制服を着てるんだから「真面目にやれ」って意味もある（笑）。それなのに、「白衣は権力構造」とか言うヤツがいるわけですよ。

平山　なるほどね。でも、正当な意見の皮をかぶって、「それはただ、お前のやつあたりじゃん」みたいな意見って多くない？

春日　ほんと、それだよね。

暴走する個人のサディズム

平山　SNS見てるとさ、個人のサディズムみたいなのが暴走してる気がする。ここぞとばかりに叩く機会を待っててさ。「あんたになんの被害もないんだから、ほっといてやれよ」って思うんだけど、物理的攻撃のないリンチみたいな形がすぐできあがるよね。

春日　それなんだよ。特に精神科関連だと曖昧《あいまい》なところがあるから、そういう状況にみんな突撃するね。

平山　とにかく、何か失敗した人が出てさ、ある程度……子供の算数ぐらい簡単に「そいつが悪い」ってなったときは、「それ見たことか！」ってみんなで踏みに行くじゃん。あれが分かんないんだよね。

で、逆もあるのよ。どう見ても痛ましくて涙の出る、胸を打つ物語があると、みんな泣きに行くんだよね。だから、世相に圧倒的な不満足感があるのね。欲求不満で、自己実現も果たせない。先行きも暗い。黒いドロドロした怨念《おんねん》が巨大な怪物になって、いつでも叩く人間を探している。自分の負の気持ちをスカッとできるものを探してる気はする。

春日　うん。

平山　一見、正しいことやってるように見えるけど、「実はそんなに何かを正そうとは思ってないんじゃない？」って感じが個人的にすごくすんのね。別に当事者じゃないし、何かを過剰にさ、ヒステリックに叫んでも、本人の根っこはそこにないんじゃないかな。でも、それが楽しくてしょうがない人っているよね。

春日　彼らの一番不思議なところはさ、自分の心を見透かされてるって気がつかないことだよね。

平山　そこは一番痛いとこだよね。ちょっとでも本心を突いたらギャンギャン言うでしょ？　またそれで「傷つく」ってすごく落ち込む人もいる。俺はほっときゃいいと思うけど、ネット上のそういう人に対しては耐性がちょっと低い。柔らかい人でかわいそう、気の毒だなとは思うんだけど。

反対に政治家がツイッターで、「国民は馬鹿でいい」「国民は血を吐いて死ねばいい」「国民のことを考える政治なんて関係ない」なんて発言をする。だいぶイッてんなと思うんだけど。あれも常軌を逸してるじゃない。

春日 うん。

平山 炎上狙いなのか、本心なのか分かんないけどね。

春日 確かにね。

平山 何か兆候はないんですか？　「本気で言ったら耳が赤くなる」とか。

春日 （笑）。とにかく、なんで、みんなあんなに無防備なんだろうね。

平山 本当だよね。「そのうちお前、刺されんぞ」って思うけど。平気でさ。そういう政治家いるよね。

春日先生の告白、そして平山夢明を「診断」する

――春日先生は自著でご自身を「境界性パーソナリティ障害に一番近い」と分析されています。まず、冷静に精神科医が自分自身を診られるのかをお聞きしたいです。

春日 まぁ、自分じゃ無理よ。はっきり言って。ただ、相当に偏ってるけれども、どうに

か社会適応している状態だと。

——精神医学的な話でいくと、障害は病気ではないですもんね。

春日　そうですね、うん。

——では逆に、春日先生は平山先生をどう見てるんでしょう（笑）。

平山　俺ってどんな感じなの？　よく言われますよ。テレビ観てて、発達障害の話が出ると「平山じゃねえかよ」って言われるの。確かに否定できないんだけどさ。

春日　超まともだと思うよ。

平山　そう？　でも、周りは全然、そう言わないよ。

春日　だけど犯罪者にはなってないじゃん。

平山　ギリギリね（笑）。

春日　協調性ゼロでもやれる仕事してるわけでね。それは素晴らしいですよ。

平山　えっ！　頑張った？　俺（笑）。

春日　うん（笑）。

平山　俺は基本的に、どんな欲望を持っても、好きなように生きればいいと思ってるわけ。うつのところでも話したけど、誰も立候補して生まれてきてないんだから。みんな押し付けられた人生だし。ただ、自分がされたらイヤなことはしないってルールは守らないと。

春日　それを言えるのが、超まともなんだよ。

平山　そうなの？　だって、それだけじゃん。そんな難しい話じゃないよ。

春日　でも、その考えを守らないヤツはいくらでもいるんだもん。

平山　まあね。「俺はやられてイヤだけど、お前にはやる」とかね。それはおかしいじゃん、平等じゃないよねぇ。

――おそらく100万回ぐらい聞かれてると思うんですけど（笑）、平山さんは残酷な作品を書いていて、自分で殺したくなったりとかしませんか？

平山　「危ないんじゃないか」とか思うだろうけど、俺は書いてるから大丈夫。ただ、「いい作品書こう」と頑張っても無理だから、そこはあきらめてんだけど。

だから、想定する読者を完膚なきまでに叩き潰そうと思って書く。それが快感なんだと思う。「こんなひどい言葉を読んだことねえだろ。こんなゴミみたいな人間がいるとは思わないだろう」とかさ。

読んだ人がしばらく口をあんぐり開けたりするのを見たいのね。本当の楽しみは、俺の本を読んだ上品なマダムとかが凍りついたようになってるのを見たいの。それはＤＶＤで焼いて、何度もずっと見ていたい（笑）。

――お2人とも、執筆中に自分を忘れるような体験はありますか？　「狂い」とは少しずれるかもしれませんが。

春日　いやぁ、別に忘れないね（笑）。

平山　俺はね、後半だね。本って書くのも読むのも山登りみたいなもんじゃん。半分超えると速くなるでしょう？　書く場合は3分の2を超えると、「ああ、早く終わらせたい。だけど、本当に俺が思ってた通りにぶち込めてるかな」って不安がワーッと湧いてきて。とりあえずそこまで書き終えたら、担当に読ませて反応を見る。

春日　素直にいろいろ反応してくれるの？

平山　割と。「今回は面白かったですね」って場合はダメ（笑）。「うーん、これいいのかなぁ。知りませんよ」って戻ってきたら手応えはある。

編集者って俺らの何十倍も本や原稿を読んでるでしょ。それが締め切りを大幅に過ぎた後に「大丈夫かなぁ」って言うんだから（笑）、「これはかなりいけるな」って。今までにない表現をやれたかなって思う。そんなものが売れるか、分かんないけど。

春日　（笑）

平山　しょうがないよ。俺なんか、オセロの真ん中は取れないいんだもん。隅っこを狙うしかないの。大阪の西成でサンダルの片っぽだけ売ってる親父みたいなもんだよ。「こんなの売っててんのかよ」みたいな（笑）。

平山夢明流の執筆術

平山　俺、自分で描いたことを忘れるからさ。たまに自分の小説を読み返して呆《あき》れるもん（笑）。『あむんぜん』（集英社文庫）に収録した話でさ、営業マンが動物園のチンパンジーに犯されちゃって。ニュースで報道されると、学校で子供がさ、「お前の親父、猿に犯されたんだって？」っていじめられるの。

するると子供が父親を責める。「なんで猿なの？　ライオンだったら、僕、そんなに言われなかったのに」って。我ながら「これ、ひでぇな」って思ってさ（笑）。家族養うために、一生懸命さ、コピーかなんか動物園に売り込みにいった挙げ句がこれかよって。

春日　うん（笑）。

平山　で、医者がね、お尻が裂けちゃってるから手術で治してくれるの。ジジイの医者が看護師さんを呼んで言うのね。「この縫い目、これどうだ？」って。「すごい立派です」。

「これはね、寿《ことぶき》って読めるようにしたんだよ」（笑）。
　本当にしょうもない。「何を読んでるんだ」って思うよね。ここになんの教えがあるんだ、ただ「珍」なだけじゃないかって。まあ、そういうのを書いてるんだけどさ（笑）。俺自身は、割とそこで満足しちゃってんだと思う。だって、現実そんなことないじゃん。
――ちんちんが２つあるジイさんの話もありましたね。「$C_{10}H_{14}N_2$《ニコチン》と少年――乞食と老婆」（『独白するユニバーサル横メルカトル』／光文社文庫に収録）、これダジャレなんだって解説を読むまで気づかなかったです。
平山　あれさ、俺、悪いことした。ＰＨＰって会社あんじゃん。あそこからの依頼だったのね。
春日　ひでー（笑）。心洗われるＰＨＰ。
平山　編集者、いなくなっちゃったよ。あれを短編集に収録するんで連絡したら、「もういないです」って。原稿を送ったときもさ、「これはいったい？」って。「まあまあ、童話です」って答えたんだけどさ。
――合ってはいますよね（笑）。
平山　ま、童話は童話なんだけど。最後に子供がさ、「あんなおじいさんは死んでよかった。くだらない生き物だなと思いました。おしまい」って。本当ひどい。

春日　しかし、どこ行ってもクオリティは考えてるでしょ？

平山　読者が想定している、さらに3段上のひどさを求めて書こうかなと思うから。だから、難しいのはそのシチュエーションを作ることなのね。

春日　そうだよね。

平山　ただ、ダラ～ってやっちゃうと、ダメなんで。

春日　がっちり作って、そこでヒドいものを。

平山　なるったけ煮てね。グツグツグツグツ煮て。

――本当に驚きますよ。「こんな話、どうやったら思いつくの？」って。

平山　『ヤギより上、猿より下』（文春文庫）ってあるじゃん？　あれは怪談作家の仲間の松村進吉くんっていう、徳島の子がいてさ。彼がたまたま年末に上京して、一緒にみんなで飯食ったの。そしたら、「平山先生の小説よりひどい話がありますよ」って。

春日　気になるね。

平山　「なんだ？」って聞いたら、インドネシアでオランウータンの毛を剃《そ》って男に売ってた店があるって。「はぁ!?　嘘だろ、お前」つったら、「ほら」って画像を見せてくれて。

毛を剃られたオランウータンが「イヤんなっちゃった」みたいな感じで寝転がっててさ（笑）。女に飽きた近所の男から、「ペコちゃん」だか「何とかちゃん」って呼ばれて、結構人気者なんだとか書いてあって。本当に人間ってどうしようもないんだなと感心したの。それで書き始めたんだよ。だから、あれはジャーナリスティックな視点なの。

春日　（笑）。ネタ帳とかあんの？

平山　ない。俺、字を書いても自分で読めないから。だからあきらめた。それで消えちゃうなら、大したネタじゃないんだろうって思うようにして。

春日　創作ノートも当然ない？

平山　ない。なんにもない。

俺に病名をつけてください

平山　それで、ちょっと個人的に聞きたかったんだけど。よくディスレクシアっていうでしょ。文字の読み書きだけがうまくできない。トム・クルーズやスピルバーグ監督もそうですよっていう、学習障害みたいなヤツがあって。字が汚いのはそれに含まれないのかな。

春日　はいはい。

平山　俺は自分の書いた字が読めないんですよ。ずっと悩んでいて。多分、ワープロがなかったらさ、物書きにはなってなかった。こういう障害ってないんですか。

春日　字が汚いの？

平山　何か病名を作ってくれると、俺も堂々と言いやすいんですよね。

春日　医者はみんな字汚いよ。

平山　そうなの？　いつも急いでるからでしょ。

春日　『メンタリスト』って海外のミステリードラマで、2回ぐらい「犯人は医者だ。なぜなら字が汚いからだ」ってエピソードがあった（笑）。

平山　そんなことあるんですか。

春日　今は電子カルテだけど、昔は乱筆だともう読めないわけよ。だけど、なぜか解読できるナースってのがいて。

平山　ああ！

春日　「あいつを呼べ！」となるわけね。

平山　俺の知ってる編集の中西さんがそう。菊地秀行先生が悪筆なのね。うつ伏せの姿勢で原稿を手書きするから。読めないことが多々あって、編集部でも困ってたところに、あいつは読めると分かった。それで職にありついたの。
春日　不思議だよね。
平山　でも、ヤツでも読めない字があって。「本人に聞きゃいいじゃんかよ」「それは失礼だからしたくない」って。俺、ふっと見たときに、これは「ねぐら」じゃないかって。「塒《ねぐら》」って漢字があるんだよ。そしたら、当たってたの。一回おごってもらったけどさ。
春日　（笑）
平山　俺ね、常々考えてたんですよ。字が汚い理由を。困ることも多くてさ。思いつきやアイデアを書き留めても全然読めなくて何回も困ってる。ただ、ひとつ特徴はあるの。
春日　ほお。
平山　字を書き始めた瞬間に焦り出すの。早く書き終わりたいってジリジリしちゃう。一瞬で書き終わりたいのね。どんどん書いていきたいし。
春日　思考と手の速度があまりにも違って。
平山　全然合わない。もうウワーッとなるから汚いのね。でも、世の中にはすごい綺麗《きれい》な字の人っているじゃん。小津映画のタイトルみたいに達筆で「おはよう」とかさ。どんな気持ちで書いてるのかな。

春日　それは、こころ平らかにさ。ゆっくりゆっくりって思ってんじゃないの。でも、早く書きたいなら、なんで早稲田式速記やらなかったの。

平山　一度、通信で習ったんだよ。でも、だんだん分からなくなってきて。結局、ダメ。

春日　やはり、ワープロは画期的だったよね。

平山　あれがなかったら俺、絶対に作家をやってなかった。本当、「お」と「あ」の区別がつかない。あと「わ」も一緒だから。

春日　それって、知的障害と同じじゃない。

平山　そこは認定しないでよ！（笑）。還暦なんだから。60歳まで漕《こ》いできたんだから。俺は「つ」と「う」も一緒だし、「は」が「い」になったり。

春日　「うなぎ」って書いて「つなぎ」になるわけ？

平山　なるなる。ただ、俺と同じような字を書いてる人がいてさ。水木しげるさん。サインの名前が「し～る」って書いてあるのよ。「げ」がないの。でもさ、春日先生は字が綺麗じゃん。それだけで頭も性格も良く見えるもんね。「こいつは嘘つかないんじゃないか」と思わせたり。

春日　福澤徹三さんも、字が綺麗だよね。

平山　あ、徹ちゃん。ずるいよね。締め切りも守るんですよ、あいつ。それに贈り物も欠かさないんだからさ、ろくな人間じゃないよね。

春日　デパートかどこかに勤めてたそうだから。

平山　宛先書かないといけないから。お中元とかに。でも、見た目はヤクザなんだから。おかしいだろって。「お前、そんなナリして締め切り守んな！」ってね。俺は包装もできないよ。やっぱり、脳と手首から先が繋がってないのかな。だから、全部おかしくなるんだと。

春日　（笑）

平山　漫画家だってすごいよ。『ダイナー』の漫画版をやっててさ（原作はポプラ文庫。漫画は集英社）、「こういう感じです」って絵を描いてくれたことあって。びっくりした。すごい才能だと思ったよ。

春日　うん。

平山　俺、ヘリコプターの絵を描いたら、「ああ、ダックスフントだね」って。今は手先の時代だよ。漫画なんか大儲けだよ。

自分をリセットする言葉の魔力

春日　今回の対談で「言葉」っていうのを何度か言ってるけど、あの座間9遺体事件（2017年、白石隆浩死刑囚が、インターネットを介して知り合った女性ら9人を殺害。遺体を損壊した）。結局、精神鑑定で「精神障害は認められない」と出たんでしょ？

平山　あれも不思議だよね。

春日　俺、心理学関係の雑誌にあの事件について書いたもんで、ちょっと調べたんだけど。犯人はツイッターで自殺志願者を集めたわけだけど、そんときに「首吊《っ》り士」ってハンドルネームで被害者を集めたみたいね。「首吊り士」の「士」が「武士」の「士」なんだよね。つまらない言葉だけど、ある種のファンタジー系ゲームっぽい印象を受けたのね。

　で、彼自身もそんな名称をつけることで、犯行のハードルがすごい下がっただろうし、「俺はプロだ」って思うと、人間を解体する非常に面倒な作業も、急に一生懸命やるわけじゃん。今まですごい雑な人生を送ってきたくせに。やっぱり「首吊り士」って言葉を発明したことでね、全部成立したんじゃないか。そんな気がしたんですよ。

平山　要は二つ名を持つってことだよね。芸名みたいな。

春日　そうそう。

平山　今までの自分と雑な人生はリセットして、「仕事人」になる。
春日　自殺志願者のほうもさ、なんかそういう言葉に……。
平山　自殺志願者でなんで「首吊り士」のところに行くんだよって思うけど（笑）。
春日　だけど、そこに引き寄せられる吸引力っていうのはある。
平山　被害者の方たちも深刻は深刻だったんだろうけど、犯人と接触するなかで「やめよう」とか思ったんじゃないかな。そんなに「首吊り士」に吊ってもらいたいと思ってたのかなって。興味半分で、死にたい気分はあるけどっていう感じ？
春日　犯人自身が「最後まで本当に死にたいって言ってる人はいませんでした」ってちゃんと言っているんだよね。
平山　そんな気がするよね。バレちゃうから殺しちゃったみたいなところでしょ。
春日　そう。自殺志願って言いながら、ある種、ジャレたいのかもね。
平山　ちょっと興味や好奇心があって。あれもそうだったのかな。トー横キッズの「ハウル」。
春日　あぁ。
平山　「ハウル」なんつってさ、ジブリはどう思ってるんだろうね。あの人、死んじゃったんでしょう（2022年、新宿歌舞伎町に集う少年少女「トー横キッズ」を束ねる男、通称ハウル・カラシニコフが未成年淫行容疑で逮捕され、初公判前に東京拘置所で死亡）。

春日　うん。わけ分かんない死に方で。

平山　あれは変だよね。ジェフリー・エプスタイン（小児性愛者で拘置所内で自殺したとされているが、他殺との異論もある）っぽいね。

言葉の重みとタイムパフォーマンス

平山　だけど、今の時代ほど「文章を読む」、または「文章を打つ」ことが日常化されたことってないよね。

春日　そうだね。

平山　決して長い文章ではないけども。誰でもふと文章を打って、それを読む。だから、それだけ言葉が感情に直結してきているんだろうけど、別に美しい言葉じゃないよね。

春日　ウェブ記事で段落ごとに一行空けて書くヤツとかね。読んでてすげえ腹立ってさ。何も思いつかないんで、1行飛ばしてんだろうって。

平山　それとはまた違うけどさ、文章の冒頭の1文字を組み合わせて別のメッセージを伝えるヤツなんてさ、中学んときのラブレター合戦みたいじゃん。よくこんなことやってんなと思うぐらい。

春日　縦読みね。

平山　そう。でも、そういう意味で、今はみんな文章を書いたり読んだり、言葉を以前よりも自在に使っている。それも、話し言葉じゃなく「書き言葉」っていうか。

春日　読む側もある意味、耐性がなくなってきてるのかもね。30万部売れた『変な家』（雨穴著／飛鳥新社）を読んでさ。意外とよくできてるんだよ。最初に変な家の見取り図があって、後で「ここがどうした」って展開してくんだけど。普通、見取り図って一度出たらそれきりじゃん？　最初のページに戻って読むでしょ。それがちゃんともう1回出てくるの（笑）。

平山　同じ話のなかに出てくるの？

春日　そう。これがさ、読んでるとすごい便利なんだよね（笑）。

平山　機能的なのね。戻んなくていい。戻るってことは1回、醒めることじゃん。

春日　だけどさ、それをやっちゃいけない雰囲気があったわけでしょ。それをヌケヌケとやって「えらい！」と思ったのと、やっぱり会話体がほとんどで、地の文が少ないの。それで展開が早くて、情景描写はほとんどない。「これは変な家だ」って終わっちゃう感じ。普通は「どう変か？」で10ページぐらい書きたくなるでしょ？

平山　その部分こそ、筆の力がものすごく必要なとこだもんね。

春日　うん。だから、ミステリーとクイズ本の中間という印象で。確かに読みやすいの。今はとにかく、「1冊読んだら勝利」みたいなことを思うみたいね、みんな。

平山　もう、漫画が主流じゃないですか。漫画の価格は500～600円だけど、読みやすいから、1冊読み終えるまでの時間が短いでしょ。それで満足度を計算するみたいよ、今の人たちは。「この小説面白いよ」って薦められても、読み終わるまでに1週間ぐらいかかる。すると、価格がいくら安くても「時間のコスト」はかかるわけで。

春日　はい、はい。

平山　漫画ならぱっと見た瞬間、「あ、これは一晩で読めそうだな」と分かる。圧倒的に「タイムパフォーマンス」がいいわけ。

春日　「タイパ」ね。まさに映画を早送りで観るのと同じ仕草じゃない？

それにしても原稿が遅い！

平山　時間と言えばさ、この前、担当編集者に怒られたの。「原稿が遅い」って。俺は「怒って原稿が進むなら、もうできてるよ」って。「でも、こっちは10年待っているんですよ」っていうの。「お前、全然学んでないな」って。「とにかく今日はね、逃げられませんから」。そのときは屋形船に乗ってたんだよね。他にも編集者が来て。俺をやり込めるって言うんだよ。

春日　で、一応、反省はしてみせたの？

平山　いや、他に15年待ってる編集もいるからね。「あいつに比べりゃ、お前、まだ２歳だよ」つったの。でも、会社で定年レースが始まって。「平山さん、私も定年ですよ」って。「中堅時代に頼んだ原稿を、もうそろそろ……」なんて迫ってくるんだよ。

春日　ほぉ。

――平山先生のサプライズお誕生日パーティーでお会いした編集さん、心臓にペースメーカーを入れられてて。で、平山さんが「こいつ、俺が待たせすぎたから、心臓やられちゃったんだよ」ってひどい紹介の仕方してくれたんですよね（笑）。

平山　だから俺ね、相談に乗ってやってるの、あいつの。愛の相談とか。

――で、原稿は書いてあげたんですか？

平山　いや、書いてない（笑）。わざとやってんじゃないんだけど。難しいね。春日先生はね、ちゃんとした人だから書けるんだけど。しょうがないんだよ。

春日　ネタを思いつかないの？

平山　いや、思いつくんですよ。でもほら、俺は面白い、つまらないの判断が先にきちゃうから。アイデアが浮かぶじゃん。「面白くないな」って思うと止まっちゃうんだよね。

春日　はいはい。

平山　本当はあと3日ぐらいで仕上げないといけないのに、途中で気がつくんだよ。「これ、面白くないんじゃないかな」って。

春日　（笑）

平山　それはイヤじゃん。みんな不幸だから。ちゃんと「十分に面白い」ってことの保証ができたら書こうかなって思ってるんだけど。

春日　とにかく書いてみるって発想はないんだ？

平山　『ボリビアの猿』（『小説宝石』連載）がそうだった。あれは原稿用紙に2000枚書いてるんですよ。ずっと月刊誌に連載してたけど、編集側で「毎月じゃないにせよ、もう

10年連載やってるのに終わらないのはさすがにおかしい」って問題になったらしいの。そろそろ本になる頃合いだろうって。じゃあ、終わらせるよって（笑）。最終回はまず「前略」って漢字を入れたの。「前略　こいつは大変だ。船が沈みかかってる」っていう始まりにして。その後「中略」があって、「いや、あのときは一時どうなるかと思ったけれども、みんなうまく収まってよかったな。さようなら」って書いたんだよ。で、「後略」も入ってんの（笑）。そしたら、また問題になった。「前略はいい。100歩譲って」って。

春日　100歩譲ってね（笑）。

平山　でも、「中略か後略はどっちか外してもらいたい」って。「いいっスよ、好きなほう外してもらって」つったら、それはやりたくないんだって。

春日　うん。

平山　だからじゃんけんして、「お前が勝ったら中略。俺が勝ったら後略外す」って「中略」が残った。それで最後に、「終わらせて」って書いた。そしたら、また電話がかかってきて。定期購読してるおっちゃんとかさ、分かんないんだね、シャレが。「『終わらせて』は誤植か？」と。

――ここは「終わり」であるべきじゃないか、と。

平山　そう。「おひまい」とかさ（平山氏が短編の最後によく使う表現。他にも「こんな話ですいません」「もうおわりですか」などの名フレーズとともに物語が締めくくられる傑作多し）。でも俺、何度も言うけど、書くと忘れちゃうのね。短編とかでもさ、50枚ぐらい書いたのよ。そしたら、主人公の名前が頭とケツで違ってて、校正の人が「これは？」って。俺が「わざとやってるんじゃないかな？」って。凡ミスなのか意図的なものなのか全然わかんなくて。校正者さんもね、「ホンット、イヤだ」つって。

春日　うん。

平山　今度またね、どうしようもないの出たのね。『俺が公園でペリカンにした話』（光文社）っていうクッソみたいな（笑）。「こんなの出さないほうがいいよ」って粘ったんだけど、「原稿料払っているから、出さないといけない」って。全部で20話はあるんですよ。1話大体80枚ぐらい書いてるわけ。本にしたら584ページあるのね。「こんなの金払って買ったら、絶対に怒るよ」って。それでも「出す」つーから、ポップに「俺、知んねーから」って書いた（笑）。

春日　ひどい（笑）。

迷ったら燃やせばいいよ

平山　いや、でもね、俺もいろいろ学んでますよ。書いてて「面白くないな」と思ったら、とりあえず汚らしい言葉を並べるの。どうしようもない人間が酒場とかにいるじゃん。「生徒は教師のサンドバッグだ」なんて平気で言うヤツ。「俺は昔はこんなしてよ」とか。そういうクソジジイみたいなのを出すと、割と筆が進むんだよ。それで「40枚書いてくれ」って依頼に対して35枚まで書いたら、もう終わらせないといけないじゃん。

春日　うん。

平山　で、考えてないじゃん、終わりを。そういうときはね、燃やしちゃう。

春日　(笑)

平山　家が燃える。爆発するとか。

春日　ドリフターズのコントで屋台崩すのと同じね。

平山　そうそう！　火事はいつ起きてもいいんだよ。火事と地震と宇宙人はいつきても平気。それで乗り切って終わると「真剣にやってない！」っていうそしりが出るの。だから、最後は読者をちょっといい気持ちにさせる。少し上げて終わらせるの。「いろいろあったけど、みんな幸せになりました」ってまとめる。俺、これ、3回ぐらいやったな。意外と文句は来ないよ。読んでるかどうか分からないけど（笑）。

春日　はあ（笑）。

平山　俺、『ヤギより上、猿より下』って淫売の話を連載してたの、『オール讀物』で。そしたら編集長に電話かかってきたんだって。某○○○○先生から。「今月も平山さんは私の前かしら？」って（笑）。そらそうだよね。チンパンジーとヤギどっちのほうが価値があんだ、みたいな話のあとに、先生のお原稿が載ってるんだもん。だから、編集長に言ったの。「それはお前が悪いよ」って。そしたら、「だって平山さん、遅いんですもん」とかいうから。まいっちゃってさ。そんなことですね。俺の日常は。

春日　いやぁ、狂ってるね（笑）。

第3章 狂気に立ち向かうための処方箋

第1章では【世界・社会の狂気】、第2章では【個人の狂気】を論じてきた春日・平山両氏。では、我々は一体その狂気にはどう立ち向かえばいいのだろうか？

どうにもならなそうな大きな問題を前に、個人のメンタルヘルスを保つためにはどうすればいいのだろうか？

本章では、春日・平山両氏にメンタルヘルス研修の講師をお願いするという、これまたいささか狂気じみた企業（扶桑社）での対談をベースに、「やる気が起きないという病理」への処方箋を考える。

なお、対談内で両氏が読み上げているのは、研修参加者に事前に募集した悩みである。

アクセルベタ踏み状態がしんどい

春日　メンタルヘルスと言ってもね、うつとかストレスの話ばっかりじゃつまらないんで。「やる気が起きないときはどうしたらいいのか」を、少し真剣に考えてみましょう。で、平山さんは編集者泣かせというか。

平山　本当は泣かせる気はないんですよ。向こうが勝手に泣くんです。

春日　ギリギリまで書かない、書けないっていうのは、やる気が起きないわけ？

平山　２つパターンがありまして、それこそ普通に「なんかやりたくないな」っていうパターンと、「やる気はある」んですけど「アクセルベタ踏みでサイドブレーキが上がっちゃってる状態」になってる。

春日　はい。

平山　だから、すっごく疲れるんです、この状況のときは。「やんなくちゃ、やんなくちゃ」っていうのと、「自分で結局ハードル上げちゃってる部分」が作品にあって、「どうやっていいのか分かんないんだけど、その状況がずっと続く」。昔の経験ですけど。

春日　「悪いな」っていう罪悪感は持ちますか？

平山　あんまり起きない（笑）。結局、僕の仕事は基本的に「自分が考えて、自分が作る」

ものなので。全責任は自分が負うことになると勝手に思ってるので、悪いものを作ってしまったら、それが全部自分に返ってきちゃう。だから、悪いものは作りたくないということで、罪悪感っていうのがあんまりないんですね。なぜないのかと考えたら、作家ってほら、もう今、なんだか石ころぐらいいっぱいいるじゃないすか。

春日　いますねえ、河原の小石みたいにひしめいている。

平山　だから別に、僕の本じゃなくても（笑）。それで、偉い会社の人ばっかりですよ、編集者っていうのは。それこそもうすごい人でしょ。だから向こうからしてみりゃ大物を狙って、「ちょっと投げたけど釣れてないな」と思ったらまた違うの釣ればいいいんじゃないかなって。逆にこっちからすると変なものを作ってしまうと、結果、その後の自分のモチベーションが保てなくなっちゃうので、そっちのほうが怖いんですよね。

春日　編集者の胃に穴が開いても、それはまぁ（笑）。

平山　編集者は優しいんですよ、みんな。最初、優しいんだよ。「平山先生！」なんて。後半になってくると「いや〜」とか、最後はもう何も言わない。

春日　何も言わないと怖いよね。

平山　びっくりしますよ。でも、そこまで人間性が出てしまう仕事のやり方に問題がある

［表1］　やる気が起きるために必要な条件
①期待されているという実感
②集中して頑張るだけの価値があるという実感
③やり遂げられそうだという実感
④適度のストレスや困難状況
⑤儀式、マジナイ
⑥状況、環境の単純化

と思います。

やる気が起きる必須条件、教えます

春日　やる気が起きるために必要な条件っていうので、一応6つ挙げたんですけど（表1）、最初の「1―①期待されているという実感」はね、これは本人でなくてむしろ周りとか発注者側というか、上司のほうの話なんですけどね。やっぱり期待されているっていう実感がないとね、やる気起きませんよね。

平山　そうそう。

春日　あと「1―②集中して頑張るだけの価値があるという実感」。我々、2人で言うとさ、やっぱ、雑誌の『文學界』から直接依頼が来ると（同誌の2022年1月号では「笑ってはいけない?」という特集を組んでいて、平山は小説を、春日はエッセイを依頼された)、モチベーションが上がるとか緊張するとかある。

平山　『文學界』って、権威あるじゃないすか。そこから依頼がきたときに「どうしたんだ?」と思ったんですよ(笑)、僕は最初に。「無事なのか?」って。

春日　「そんなに評価されてるのかよ、ホントかよ」って疑ったなあ。

平山　僕は「期待されてる実感」は、仕事のオファーがあったときがマックスなんですよ。

春日　はい、はい。

平山　「このアイデアはいい、これは書いてくれ」っていう話がきて、「良かったな」って思って集中して頑張るだけの価値があるかどうかが……次に話を作るわけじゃないですか。「この話だったら、時間や労力をかけられる」「いける」って思えるかどうかっていうところですよね。依頼は向こうから勝手にくるんで、この最初の「期待されてるっていう実感」は、最初の段階では大概あります。だんだん下がっていくんですけど(笑)。

春日　『文學界』で「笑いの特集」をやるからってさ、我々二人にわざわざ振ってくるって何か裏があるんじゃないかってね。

平山　案外、ペアだと思われてるのかも。僕にしかメリットないですけど(笑)。

春日　お笑いだからこいつらを使えばいいかっていうところがね。ま、『文學界』だからって構えてしまう自分が情けないけど。

平山　先生もほらね、そのあたりはうまく分析されて（笑）。

春日　それはそれとして（笑）。「１―③やり遂げられそうだという実感」というところね。最初から達成不可能ではさすがにね。

平山　不可能なんてダメですよね。

春日　あと「１―④適度のストレスや困難状況」とね。ゲームをクリアするような感じだよね、うん。そのほかに、「１―⑤儀式、マジナイ」というふうなのがね、やる気を起こすための条件。僕なんかですとね、まずコーヒーを丁寧に淹《い》れて飲むんですけどね。でもさ、飲み終えたら仕事始めなきゃなんないわけです。だからなるべくね、いっぱいコーヒー入るマグカップを、と思って５００ミリリットルのを用意したの。

平山　えー！　５００のヤツ⁉（笑）

春日　それ飲み終えてからじゃないと仕事を始めない（笑）。だから冷えないようにマグカップを置く卓上ヒーターを買いました。

平山　５００もコーヒー飲んだら、トイレに行かなきゃダメでしょ。

春日　だからそれでズルズル先延ばしね。

平山　僕、ものの本で読みましたけど、トルーマン・カポーティが、鉛筆を10本。毎回、もうチビになるまで削ってからでないと書き出せないっていう。

春日　うん。きっちり10本ね。

平山　だからやっぱり、何か踏み出すときって相当の勢いが必要なんでしょうね。

春日　梅崎春生もね、確か鉛筆を1ダースくらいとんがらせないとダメだったはず。

平山　それが儀式だよね。やっぱね、春日先生が偉いのは、その儀式を決めるじゃないですか。「500を飲む」とか。やるでしょう、結局？

春日　うん。

平山　やるでしょ？

春日　やるよ。

平山　俺ね、あんまり儀式がないなって。僕やらないんですよ、決めても。だから、儀式になんないんですよ。

春日　なるほど。儀式すらしない（笑）。

平山　自分でもたまにあきれますけどね。

春日　はい。あきれて当然ですね。

平山　だから僕の場合は決まってるんですよ。大体、午前中は機嫌いい。「今日5枚書こう」とか「ここまで書こうかな」と思って午前中はまだ時間あるじゃないすか。

春日　うん。あるよね、たっぷり。

平山　「大丈夫だよ」なんつって、「昼飯食ってからかなあ」と思って、夕方になると機嫌が悪くなるんです（笑）。

春日　（笑）

平山　「これはいけない」っていうことで、カレンダーにペケつけたんですよ。

春日　はい。ペケを、ね。

平山　できたら△。首尾よくいったら〇って決めて。……×だらけ。

春日　のび太の答案用紙みたいに（笑）。

平山　儀式の効果はやっぱできる人に向いているんだと思うんですけど、これは……僕の個人的な意見ですよ。

春日　うん。

平山　これね、子供のときにある程度、習慣をつけないとダメだと思うんですよ。

春日　なるほどね。
平山　せいぜい10歳か、11歳ぐらいまでに。
春日　精神にまだ可塑性があるうち、ということね。平山少年はダメだったんだ（笑）。
平山　もう全然（笑）。日なたの氷と一緒ですから、溶けるっきゃないんですよ。可塑性どころか固まらないんだから。もう、しょうがないなと思ってます。
春日　はい、分かりました（笑）。そういう方もいらっしゃると。
平山　ま、「悪い例」だと思ってください（笑）。

仕事が劇的に進んだ魔法の言葉

春日　えーと、それから1―⑥の「状況、環境の単純化」っていうことで。やっぱりとっ散らかってる状態、ダメっすよね。
平山　それも昔、先生に言われましたね。
春日　じゃ、その辺のお話を平山さんから。
平山　はい、ちょうど今からもう20～30年ぐらい前ですよね。
春日　松沢病院に僕がいた頃。

平山　そうです。その頃、僕が全然書けなくて。さっきお話しした「書こう」「書こう」の「アクセルベタ踏み状態」になってたんですよ。アクセル踏んでブレーキ上げちゃってるんで全然動かなくて。ただ実話怪談を書いてたんで、その当時、コンビニでその本が売られてたんですよ。コンビニだと発売日が決まってるんで、絶対にズラせない。

なのに「全然書けない」って言って。それでもやっぱり書いて納期に押し込むじゃないですか。それだと充足感がないんで、だんだん虚しくなってくる。そのときに俺、春日先生に「なんか精神科のほうでは、飲むとやる気が爆上がりする薬があるそうですね」っていう話をしたら「なんの話をしてるんだ」って言われて。「一度、話を聞いてやるから」っていうことで。そのときはもうちゃんと「病院に来なさい」っていう話で、病院にお伺いして。

春日　本当に来たんでびっくりしました。仕事してたらさ、外来看護師が不審そうな顔で「あの、こんな患者さんが来てます」って。

平山　そう、俺行ったんですよ。だってもうね、あの有名な松沢ですから。「あ、先生、ここだ」と思って。で、病院に僕が行ってハッと思ったのは、今ね、こうやって目の前にいるように穏やかな先生じゃないです。ニコニコして何を言っても抱きしめてくれるようなね、感じがあるじゃないすか。けど、白衣を着て……あんときは、ちょっと別室でしたよね。

春日　うん。そこだけちょっと離れた診察室。

平山　応接室じゃなくてやっぱ、診察室ではあったのかな。そこ行って、白衣で先生が見えたら、やっぱちょっと違うんですよ、雰囲気が。なんというか「白衣モード」なの。

春日　そりゃ、さすがに商売中はそれなりに、ね（笑）。

平山　全然、別に睨《にら》むとかないんですけど、「とりあえずお前、嘘は言うんじゃないぞ」っていう感じ。

春日　威圧感があったんだ（笑）。

平山　「嘘やごまかしは俺は分かるからな」んていうのが「デーッ」って出てたんで「あ、これはダメだ」と思って。ほいでとりあえず「話をしろ」って言われたんで、いろんな話をしたら春日先生がまず一発で「部屋がめちゃくちゃ汚いんじゃないか」って言われて。当時は事務所で仕事してたんだけど、その通りだったたんですよ。

なんでかっていうと、ベタ踏み状態になると、頭の中が「すべての時間をその仕事に費やして、少なくとも何かを考えてないといけないんじゃないか」って金縛り状態になっちゃう。もう、遊んじゃいけないわけ。とにかく、それ以外のことをしちゃいけない。余計な想像すらできなくなってくる。

「掃除や片付けをする」より「作品のことを考えるべき」って自分で思っちゃって、それがずーっと半年も1年も積み重なるから、もう家の中はゴミ屋敷みたいな状態になってた。で、春日先生に「とりあえずキレイにしなさい」と言われて。「それでもダメだったらもう1回、ちょっと考えよう」みたいな話があって。その日は薬ももらえず、ただ叱《しか》られて帰ってくるっていう（笑）。「お前、家、汚ねーだろ」って言われて帰ってきたんですよ（笑）。

それでも、もう他の手がないんですよ、そのときの僕は。まったくないんで。「えーっ？」って思うじゃないすか、普通。

「家や部屋が汚いからキレイにしろ」って当たり前の話で。でも、プロが言ったんで。大名医じゃないですか。もう扱ってる患者の厄介さでいったら日本有数の人が「お前、掃除しろ」って言ったんで、「掃除かぁ……」って思いつつやったんですよ。そのときはもう「掃除という名の治療だ」って自分で決めて。床をグリッドっていって……あの死体が埋められているときに（警察が捜査で）テープを貼るじゃないですか……グリッドってマスにして、そこを1個ずつね、スポンジで磨いて。

トイレもピッカピカにして、いらないものは全部捨てて。するとまた、いらないもの出てくるんですよ。もう目が変わるっていうか、「捨てよう」と思った瞬間に捨てるものが見える。「捨てまい」と思ってると捨てるものは見えないじゃないすか。

大掃除が終わって「キレイになったなあ」と思ったら、その瞬間にサイドブレーキが降りたんすよ、バーンと。引っ張ってたのがポコーンと外れたの。結局3日かかったんですよ。部屋を3日間朝から晩まで掃除して、ほんで帰って次の日来た瞬間に、「あっ。なんかこれ、すっきりしてるな」と思って。

その日、まず3本～4本、書けたんですよね。話がポンポンポンって。なんでかって言ったら、とりあえずキレイなんで、焦らなくて済むんですよ。書いた話がもしダメでも、「いいや、部屋がキレイだから」っていう、わけの分からない感じ（笑）。

今までのマックスでダメだったところが、部屋がキレイになってるっていうだけで「今の自分の状況はまだ悪くない」ってちょっと思えるようになってきた部分があって。それで先生のところへ行って、「いや、ちょっと書けるようになりました」って。僕、その年に3～4冊出したんですよ、怪談。一気に出せて。先生に「どうしたことですかね？」って言ったら、先生がおっしゃったのがね、僕はいまだにそれは確かだなと思ってるけど、「頭脳労働をしたり創作活動や仕事といったタスクをこなしていくときに必要なのは『人間としての環境』であって、汚いとか、ぐちゃぐちゃになってると『巣』になっちゃう」っていう。

「動物の巣と一緒だ」って。そこでは能率が——脳の中の活性が全然高まらないんだ。ただ居心地はいいわけ。自分の匂いとか、そんなのはもうべちゃべちゃついてるから、「そこでは人間としての脳の活性みたいなもののレベルが下がっちゃうからダメだよ」って言われて、「はぁー、やっぱり春日先生の言葉は薬だったんだな」って（笑）。

あれは僕はもう本当感謝して、いろんなとこで書いて。ツイッターでも結構、いい評判がつきましたけど。

春日　よかったですね（笑）。

平山　ありがとうございます。

春日　次、行きますね。

[表2]　面倒くさい、という感情はなぜ危ういのか
① 大切なことと、どうでもよいこととの区別を曖昧にしてしまう ➡メリハリのつかない生き方
② 自分を大切にできなくなる! ➡投げやりで、自尊心を欠いた生き方
③ 些細《ささい》でくだらないことに、平気で自分の運命を託してしまう ➡びっくりするほど大胆で愚かなことをしでかしてしまいがち

怒りと恨み、人生の棚卸

春日　あの、「やる気が起きない」っていうか「面倒くさい」ってのがありますね（表2）。

平山　あります、あります。

春日　で、「面倒くさい」ってのはね、絶対ヤバいと思うんだけれども。ひとつはね、「大切なこと」と「どうでもいいこと」の区別が曖昧になっちゃうと「面倒くさい」っていうんでね（2—①）。そうすると、チャンスを逃したり、可能性を狭めてしまったりして、メリハリがつかない生き方になっちゃう。

それからもうひとつがね、自分を大切にできなくなりますよね（2—②）。

よく最近、「年寄りがどうした」って話出てくるけれども、やっぱり「老後のやばさ」って、「面倒くさい」と相当関係してると思いますけどね。なんか投げやりで、自尊心を欠いてる。セルフネグレクトとかね。

平山　そうですね。何かこう、割と「俺はこうなるべきだった」っていうようなのは……ま、俺も立派な年寄りになりましたけど（笑）、「こうであったはず」の自分にはなってない。でも、「もう、絶対今からじゃ取り戻せない」って思ったときに……本来は「自分に対しての怒り」なんだけども、受け止めきれないじゃないですか。あきらめきれない場合にそれが「恨み」に変化するんだと思うんですよ。

恨みってのは自分じゃなくて他者に向かっていくんで、暴走老人的な人が出てくるんじゃないかなと思うのと。

春日　本当に多いよ、そういう老人。

平山　よくないのは、若い人に厳しいっていうか、意地悪な老人。俺の仲間内にもいるんですよ。「俺の頃はこうじゃなかった」って若い人に言うヤツ。「バカ。お前の若い頃も大差ねぇじゃん」って、こっちは思うわけ（笑）。そういうヤツに限って言うの。実のある苦労とか、大変な経験をしてきた人はね、言わないですよ、うん。

例えば格闘技のチャンピオンとかいるじゃないすか、ボクシングとか。ああいう、世界まで行った人は、絶対そんなことしない。「俺の頃はこうだった」なんて言わないですよ。そりゃ、「そんなことをしたらどうなるか」っていうのを自分の体で知ってるんで。そういう人ほどね、優しいですよ。本当に危ないことやったときは「それはちょっと壊れちゃうよ」とか、格闘技を習ってて思わず勢いで関節技をやっちゃうと、「それ、よくないからね」とか言うけど。

年寄りで俺が醜いなと思うのは、「金持ちだ」って見せびらかすヤツ。それに「昔、こうだった」っていばるヤツ。あとはね、若い連中に意地悪みたいなことをするヤツ。でも、きっと恨みがあるのね。

春日　うん。あるね、間違いなく。

平山　きっと何か「俺はこいつらと違う」とか思うんだろうな。本当、見てて醜いなと思います。

春日　げんなりするよねえ。

平山　仮に、会社勤めなら僕の年齢にはもう定年じゃないですか。で、「えっ!!」とびっくりするのは、部長クラスの人が定年後、会社に5年ぐらい残るでしょう。例えば、出版の会社で部署の後輩に「企画です」って投げると、「もう他人だから、関係ないから」「うちの人間じゃないから」って通さないんですよ。
　それはなんで通さないかっていうと、結局イヤだから。そいつがろくでなしだから（笑）。本来ならその上司が持ってる人脈とかってものすごいものがあるわけでしょう？　普通なら。作家との繋がりとか「教えてください」とかなるのに、大体ダメね。
春日　しかし、そうすると、この「定年」ってのは今までの生き方を試されるっていう部分であるね。洗いざらいチェックされる。
平山　棚卸《たなおろし》だよね。しかも、業績と人格……人間性みたいなものを足してどうかって判断される。
春日　あると思いますね。怖いね。
平山　でも、俺は定年ないので。先生もないでしょ。
春日　まあ事実上ね。
平山　会社の人は大変だと思う。管理職って50歳あたりでなるんでしょ、みんな。やっぱり、そっからの10年で優しくしたほうがいいね。
春日　そうね。「実るほど頭《こうべ》を垂れる稲穂かな」って姿勢でいかないと。

平山　「（部下に対して）なんすか？」みたいな感じでね（笑）。「いーんだ、いーんだ、みんなやってないよ」とかさ。「あ、遅れた？　遅れなさいよ、遅れなさい」みたいな。これが一番いいいんじゃない？（笑）「疲れてる？　飲むか？」とか。

「私はあのとき、あの部長さんから3万円もらった」と思うとね、やっぱ元部長の企画は通します（笑）。

春日　うん（笑）。それは心がけてもらいたいですね、自分のためにね。

平山　投資、投資。老後の投資っていうのはそういうことですよね。

「面倒くさい」は狂いの始まり

春日　えーと、それじゃあ次行きますね。まぁ、「面倒くさい」ってことでね、些細でくだらないことに、平気で自分の運命を託してしまう、と（2―③）。結局、自殺とか犯罪なんかもね、あの、昔、扶桑社新書（『「狂い」の構造』『無力感は狂いのはじまり』）でね、対談やりましたけどね。

平山　はいはい、やりました。

春日　面倒くさいっていう感覚がヤバいんだよね。で、だいたい「被害者意識」っていうのがゴーサインになっちゃう。で、「面倒くさいがゆえの粗雑さ」というのがね、くだらない犯罪に結びつくんだよね。

平山　要は考えるのをやめちゃうんじゃないですか？　面倒くさいってことは、「思考的自殺」を先にしちゃうわけだよね。面倒くさいから「気に入らないから手を出してみる」とかってことになっちゃうんだけど、でも、その人はやっぱ「自分が生きることを面倒くさがる」わけですよね。そういう状態にあるっていうのはすごく危険なことだと思うんだけど。

でも、面倒くさいっていうのはある意味、楽ですよね。赤ちゃん返りしちゃうようなものだし。ただ、それを続けてるともう破滅しかないから、生き方としては卑怯《ひきょう》だなと思いますけどね。

春日　なんの充足感もない。

平山　でも、面倒くさがると生活の一個一個は……ほら、さっきの僕の掃除じゃないけど、もう面倒じゃないすか、あれも。もうどんどんね、そういうのが積み重なっていくと、ダメになっていくような気がしますけどね。

さっき先生がおっしゃった被害者意識ってことで言うと、僕はアメリカの犯罪者とかを調べたり、インタビューもしたんですけど、ものすごい大量虐殺をやって、どう見たって悪いのはお前だろうってヤツはもう、全員被害者意識なんです。

俺はやりたくて人を殺したんじゃない。社会が悪い。上司が悪い。彼女が悪い。誰々が悪いって。その被害者意識を簡単に手に入れちゃうのも、やっぱその面倒くさいから。手っ取り早いんでしょうね。

春日　そうですよね。お手軽にね。

平山　自分は「可哀想な存在」だから。どんな相手にも理不尽な行動をぶつけてもいいいんだ、と。

春日　それはね、もう外来なんかでも、パーソナリティーの偏った人なんか、大概そうですね。自分は被害者なんだから何をしてもいい、という権利意識にすり替わってしまう。

平山　ものを盗っちゃうとかさ、叩いちゃうとかね。

うんちパトロールとオセロの角

春日　えーと、話が暗澹《あんたん》としてきたところで、次は「足を引っ張りがちな心理」（表3）ということでね、今、「3―①被害者意識」については話が出たけど、「3―②頭の悪い合理

［表3］　**足を引っ張りがちな心理**
①被害者意識
②頭の悪い合理主義、あるいはニヒリズム
③孤立状態
④的外れな「こだわり」
⑤「うつ」状態
⑥「雑な振る舞い」モード

主義、あるいはニヒリズム」というのも問題でね。「どうせ」とか「しょせん」とか。

平山　はいはい。よくありますね、「どうせ俺は」って。

春日　それから「3―③孤立状態」っていうのもね。やっぱり、精神科的にはね、そりゃ独りぼっちでいるほうがいろいろ考えられていいとかいうのはあるけれども、やっぱ客観性が担保されなくなるし。で、１人でものを考えてるときって、論理的なつもりで、とんでもない飛躍をいろいろしてるから。

平山　そうですよね。

春日　自殺する人ってさ、論理的に考え詰めたあげく「死ぬしかない」って大間違いの結論を出すわけじゃないですか。

平山　うつでものすごく状態悪いときにはもう動くことすらできない人がいて。希死念慮が強くて、ちょっと調子が良くなると、「今、死なないと、またあの状態に戻る」と思って頑張って死ぬ。そんな人がいるって。

春日　ああ、それはいる、いる。

平山　頑張らなくてもだいたい人間は100年は生きないんだから、そんなことしなくてもと思うんだけど。

春日　ものすごいミクロで見ると確かに整合性はあるけれども、ちょっとね、距離を置けばどう考えたって変という。

平山　おかしいですよね。「今、頑張らなきゃ死ねない」って。「いや、死ななくていいから」って、いったん離れないとダメですよね。

春日　でもね「今でしょ」ってなっちゃう。

平山　「今でしょ」って（笑）。え？　大丈夫なんですか？　今のは（笑）。いや、でもね、本当あるんですよ。俺の知り合いのお坊ちゃんで学校行かなくなっちゃった子がいて。「なんで学校に行かないんだ」って親が言ったら、「俺はいつも行く気満々で行くんだけど、通り道にいつも犬のうんちが落ちてる。それを見るともうね、『バカにしやがって』ってう気持ちになって進めないいんだ」って、帰ってきちゃう。で、そもそも学校にも行かなくなっちゃう。結局は本人がただ行きたくないだけなんだけどね。ヤツは朝5時か6時までゲームやってるんで（笑）。

春日　ふざけんな、だね。

平山　起きられないわけですよ。2時間では起きられないじゃない。だからズルズルと起きるのが昼とかなっちゃうのに、本人は犬のうんちの問題にしてる。仕方なくお母さんが毎日、犬のうんちパトロールに見に行ってるんだけど。「今日はないから、行きなさい」つっても、「俺が行くとあるときがある」って言うわけ。「そのときの俺の心の無念さがおふくろは分かってないいんだ。これは深く傷つくものだ」って、まぁ学校に行かないわね。

春日　なるほどね。クソみたいなヤツだな。

平山　もうなんだろうって。本当に人間の言葉の応酬ってさ、オセロの角まで相手に取られると、入れないよね。

春日　そうね。やっぱね、家族なんかだとさ、家庭っていう狭い世界に限定されるとね、もう完全にその「角を取られた状態」になるよね。

平山　もう話ができない。他人の場合だと、「病気」とか「昔のトラウマ」だとかって言われると、もう、それ角を取ってるからさ。「そんなお前さ」って言えないじゃん。角だから触れない。そうすると、その人の悩みは孤立的になっていきますよね、大体ね。

春日　だから僕の仕事なんて、オセロ盤をひっくり返すことなんですね。

平山　その「ひっくり返し方」で思い出したのは……「非常に性格に問題があって家族に迷惑をかけるお父さんをどうにかしてください。家族が大変なんです」ってときに、そのお父さんにがんが見つかったりすると良くなる。いい人に変わる。

「俺、がんが見つかったら、この状況で幸せになれない」と思ったときに、なんかこう集中の方向が変わるんですかね？　それはオセロがひっくり返ったんだと？

春日　そうそう。だから結局ね、いわゆる「援助者」の仕事っていうのはさ、そういう偶発的なエピソードをいかに活かすかとかさ、あるいはそういう流れを呼び込むためですかね。やっぱり周りの人間は少しこう、心に余裕がなきゃいけないんだよね。

手詰まりで棒立ちの援助者に対しては、「こんなのすぐにはどうにもなんないから、別なことでもしていればオーケー、じっと見つめていても時計の針はいっぺんには動かないんだよ」っていうふうなさ、そういう腹の据え方をするにはどうすればいいかみたいな話ばっかりをしているんですよ。

恥の器はいつも満タンに

春日　じゃあ次行きますね。「足を引っ張りがちな心理」の４番目として、「３―④的外れな『こだわり』」というものがあります。

平山　さっきのうんちと一緒ですね。

春日　それから「３―⑤『うつ』状態」なんですが、これは第１章と第２章で話したのでここではあまり踏み込まず、「３―⑥『雑な振る舞い』モード」ってのに注目してみたいんだけどね。ちょっと事前質問のですね、「プライベートでの悩み編」（表６）の一部を先に見てみましょう。８番から12番まで、まとめて読んでいただけますか。

――はい。では、事前に集まった質問ですが、「６―⑧漠然とした虚無感・不安感との付き合い方」「６―⑨人生が停滞しているように感じたときにはどうすべきか」「６―⑩日常で『楽しい』と感じることがほとんどありません。『楽しい』という感覚を取り戻す方法、あるいは『人生の暇つぶし』としてオススメの方法を教えてください」。「６―⑪コロナ禍になってから、気持ちがすっかり不安定になってしまった。以前のように心に安定を取り戻すにはどうしたらいいのか」「６―⑫コロナ禍で人と会うことも少なくなり、独り暮らしで大した趣味もないので、毎日が索漠としてしまいます。救いはあるんでしょうか」

［表6］〈**事前質問：プライベートでの悩み編**〉	
①	65歳まで、健やかな精神状態で過ごす方法。
②	メンタルヘルスの不調を抱えている人への接し方。
③	メンタル・クリニックの選び方。
④	ストレスがたまると、つい散財してしまう。どうすればいいんでしょう？
⑤	ホラーだとかグロテスクな映像を見てスッキリする人と具合が悪くなる人との違いって、なんでしょうか？
⑥	ストレスがたまっていると、平山先生の残酷な小説とか残忍なゲームに惹かれてしまいます。それって危ない傾向なんでしょうか？　それとも真っ当な発散方法なんでしょうか。
⑦	平山先生ご自身が、自分の創作活動から悪影響というか、自家中毒となってメンタルが不調になることってありますか？　そういったことがあった場合の対処法は？
⑧	漠然とした虚無感・不安感との付き合い方。
⑨	人生が停滞しているように感じたときにはどうすべきか。
⑩	日常で「楽しい」と感じることがほとんどありません。「楽しい」という感覚を取り戻す方法、あるいは「人生の暇つぶし」としてオススメの方法を教えて下さい。
⑪	コロナ禍になってから、気持ちがすっかり不安定になってしまった。以前のように心に安定を取り戻すにはどうしたらいいのか。
⑫	コロナ禍で人と会うことも少なくなり、独り暮らしで大した趣味もないので、毎日が索漠としてしまいます。救いはあるんでしょうか。

春日　はい。こういうのってさ、どれも心の解像度が非常に低下してるっていうか、画素が粗っぽくなってて、だから精神状態が雑になってるんだと思う。雑になるとさ、投げやりになったり、詰めが甘くなったり、自己嫌悪に陥ったり、無敵になったり、不安になったりする。

だから、心の解像度をどう上げるかということなんだけど、そうなるとね、とにかく目の前の仕事とか家事とか整理整頓などを、あえて丁寧にゆっくり心を込めてやる。そうするとその結果としてささやかな達成感とか満足感、あるいは忘れていた感覚っていうのが呼び戻されて、きめ細かで充実した日常が蘇《よみがえ》って、やる気スイッチもオンになってくるというふうなことがある。「まずは丁寧に目の前のことをしろ」っていうね、ある意味当たり前といえば当たり前の話になってくると思うんですよね。

「今、やる気しねえんだ」ってのは大体、雑になってるんだからさ、そこはね、部屋を片付けるみたいなのも含めて、「丁寧に、まずは手近なもんからやってみろ」っていうことになると思うけどね。

平山　ここで拝見したところでちょっと思ったのは、他人にどう思われようともう構わないんで、やりたかった趣味みたいなのを始めるといいんじゃないかな。あのね、割と昔の年寄りってみんな趣味を持ってたじゃないですか、僕らの上の世代っていうのは。金魚育てるでもなんでも趣味を持ってたんですよ。

ところが今の40代から下の人たちって、やっぱり小さい頃から一生懸命勉強したりなんかしてきたせいか分かんないんだけど、ゼロから組み上げていくような趣味があんまりない。もうある程度用意されている、定食屋に行って、はい食べるだけみたいなゲームとか、ああいうのはあるんだけど。ゼロから本当に自分がちょっとずつ進めていくような趣味ってあんまりないような気がするんですよね。

釣りの趣味を持ってるような編集者は、やっぱスピリッツ強いですよ。別に趣味と仕事を分ける線を引く必要は全然ないけど、趣味って映画を観たりするのと同じように、没頭できるじゃないですか、その時間だけだから。

あとはなんだろうな、スポーツを始めると良いような気がする。なんでかっていうと、恥かけるので。

春日　ああ、恥ね。なるほど。

平山　だって初めてやるじゃん。うんといっぱい恥かくじゃないですか。「恥の器」っていつもいっぱいになってるほうが僕はいいと思うんですよ。慣れるから、恥は。

［表4］　やる気を起こすためのヒント
① 整理整頓、片付け➡室内は頭の中と相似する。そしてプチ達成感
② メモ➡具体化への第一歩。なすべきことが紙一枚に囲い込まれる安心感
③ あらためて締め切りや求められている内容を確認する➡曖昧ゆえにだらけているケースが案外多い
④「仕事人」「ミッション」といった言葉の効果
⑤ 覚悟をつけろ！

春日　うん。

平山　これ、恥の器が空っぽになると、入ってきた恥にすごく敏感に動いちゃうんですよ。「うわー」って。「やっちゃった」と思うんだけど、でもね、常日頃から器いっぱいに恥があると、「どーも、すいません（笑）」みたいな感じで対応できる。なんでこれを言いたいかっていうと、僕、芸人に仲間が多いんですけど、あいつらはすごい心臓が強いんですよ。

春日　タフだよね。

平山　お客が全然笑わなくても平気で帰ってきたりするんで。「お前、なんで？」って言ったら、「いや、やっぱり最初はもう本当に落ち込んで、震えたりもしてたんだけど、そのうちコップがいっぱいになって、ある日、気にならなくなる。だから全然平気なんですよ」って言ってましたから。ただ、そいつは芸人なんで、「それが気にならなくなったらダメだろう。だから売れないんだよ」って言いましたけど（笑）、でも、一般の人なら良いわけじゃないですか。

ただ、会社だったり、恋人や家族の前でじゃできないかな？　イヤだから。刺さるから。でも、「ダメですよ。そういうこと」と怒られても、「すみません」とか言って、自分から「ニセの恥」を詰めこめばいいような気がしますね。

囲い込まれる安心感

春日　さて、「やる気を起こすためのヒント」（表４）を見てみましょうか。ここにもまた整理整頓（４―①）が出てくるね。ま、それは十分に平山さんが話したのでいいとして、「４―②メモを取れ」というようなことを言うこともある、結局、紙１枚に囲い込まれるっていうのが安心感があってさ。あのね、統合失調症の人に真っ白な紙を与えてね、「これに絵を描け」と言うと描けない。

真っ白な広がりっていうのにね、たじろいでしまうのね。

だもんで「それじゃあ」ってマジックで枠を書いてあげると、安心して何かを描いたりする。限定されないと、不安が立ち上がってしまうみたい。

平山　例えば、作家からすると、「30枚好きなことを書いてください」って言われると、まあ、僕はだいたい書いちゃいけないことを書きますけど（笑）、真面目な作家なんかはけっこう書けないみたいですよ。

春日　そうだろうねぇ、ふふ。

平山　やっぱね「何書いてもいい」って言われた瞬間に頼りなくなっちゃう。

春日　そうだよね、なんかね、宇宙空間に放り出されたみたいな寄る辺なさに囚われちゃうんだろうね。

平山　僕の場合は「じゃあ、あれ書いちゃおうかな？」って思うのが2～3個ありますけど。作家なら普通はそうなんじゃないかなと思うけど、真面目な人ほどダメみたいね。要は、スポーツはできるけど喧嘩《けんか》はできないんですよね。

春日　はいはい。

平山　スポーツなら「100メートル先までこうやって走って早く行け」って言われれば全力を出せるけど、街場で絡まれたら、どうやっていいか分かんない。

春日　平山さん、いきなり顔を殴りつけるタイプだよね。

平山　いや、おかしな人じゃないですか（笑）。「いきなり」ってちょっとたとえがおかしいな、いきなり顔を殴りつけるって。やるときはやりますよ。だって、危ないじゃないですか。でも、あんまりひどくやっちゃダメよ。相手もどんな気持ちか分かんないから。

春日　僕の場合なんだけどね、ヤバくなってくると、締め切りとかね、求められている内容を確認するっていうプロセスを避けてしまう（4―③）。結構、仕事が重なったりするとね、うん、締め切りとかね、薄々は分かってるけど確認したくなくなるの。

平山　はいはいはいはいはい。

春日　確認したくないのね。なんか怖くて。

平山　そうそう。そういうのがある。

春日　確認すりゃいいのに、それをわざと怠る。

平山　あります、あります。

春日　で、どんどん追い詰められてね。

平山　ええ。私、昨日やりました（笑）。「多分、言ってたよな。今月末だな」っていうのは薄っすら分かってるんだけど。黙っていけば、「通らばリーチ」かなと思ったら「ロン！」「ああ‼」っていうのは昨日ございましてですね。

春日　ちゃんと現実には直面しろとね。

平山　でも、やっぱ確認したくてもできないみたいなところが……。

春日　なんか怖いんだよ。

平山　そうでしょう。ありますよね。

春日　それが人間ってもんだよね。

平山　そうそうそう。ドキドキするからね。

自慢スケベと必殺の仕事人

春日　それからね、「4—④『仕事人』『ミッション』といった言葉の効果」って、これね、作家の村松友視さん。あの人ね、無理な仕事を引き受けるのって割と好きなんだって。某作家が雑誌の巻頭小説をどうにも書けなくなったんで、「ぎりぎりで申し訳ありませんが30枚の小説を2日で書いてください」というような無茶な依頼をあえて受けるんですね。

そういうときはね、作家というよりも仕事人っていうふうな感じでね、「よろしい」って言うんだそうです。そうすると編集者に恩も売れるしね。

平山　はいはい。

春日　それで、「あの、結構、良かったです」ということになれば「どうだ！」っていうことになるしっていうんで、そういうのが好きだ、と。なんとなく分かりますよね。

平山　だいたい作家って、人に自慢をしたい気持ちがある、「自慢スケベ」なんで（笑）。でも、売れた本の数や受賞歴を自慢するのは野暮らしいんですよ。「俺さ、なんかこんだけ売れちゃってさ」とか。

そうじゃなくてね、普通、ちょっと自慢したいときは、こういうことを言うんですよ。「俺、2日で50枚書いたぜ」とかね、「3日で1冊書いたぜ」って。そして「なかなか評判も良かったし、そこそこ売り上げも良かったな」って。

「ホントかよ」「サイボーグみてぇだな」って俺は言うんですけど。そういうことってすごいじゃないですか、3日か4日で1冊あげるなんて、普通ちょっとできない。

で、だいたいそういうことをやると作家って言いたがるの。

「それは当たり前ですよ。受けたんですから、やりますよ」って言って自慢しないのが京極夏彦先生っていうおかしな男。確か角川のつばさ文庫がなんかでも、3日ぐらいでひとつ上げちゃったんですね、あいつ。「頼む」って言われて。「バカじゃないのお前？」って言ったら、「仕事ですから」って、ちょっとあれはおかしいですよ。
春日　しかも、文章の末尾がきっちりとページ内で納まるように。
平山　そう。あの人は全部、インデザイン（DTPソフト）で自分で組んじゃうんで。もう最後まで落とし込めちゃうんで、真ん中の工程がいらないんですよね。
　あ、でもあの人、『仕事人』とか『必殺』好きですね。なんかハンチクな恰好《かっこう》でウロウロしているしね。
春日　（黒いグローブを）飯食うときだけはいつの間にか外して（笑）。
平山　ああ、そうか、だからなんだな。なるほどね。分かりました（笑）。

絶体絶命のときこそ命の水が欲しい

春日　あとね、「4—⑤覚悟をつけろ！」とね。そりゃそうだよね。気合だもんね。
平山　もう、やる気がしょげてるときはもう覚悟がチリヂリバラバラで逃げ回っちゃってるんで、捕まえるのが大変ですよね。だから、そのときに良いのはやっぱりね、編集者からのね、「フェイルセーフ超えますよ」みたいな電話かかってくると燃えますよね。「平山さん！　明日朝5時でないと、9時ではもうダメです！」と言われると「そんなにダメだったんだ」って燃えるときありますよ。

春日　電話取る？　そういうとき？

平山　電話は一切取らないです。メール。

春日　でも、メールって開けるの怖いでしょ？

平山　だから僕はね、メール開けるときはちょっと下がるんですよ。遠くからこう見るようにして、「あんまり荒い言葉は書いてないな」と思うともう少ししっかり見るようにする。怖いから。

「バカー！」とかね、「あなた、人間としてどうか」ってあんまりツラいことを言われると、ただでさえこっちはまいってるのに。

メールに「お世話になっております。そろそろどうでしょうか。時間も……」なんてそういうね、寄席の芸人みたいな感じだと「どれどれ。ちょっと頑張ろうか」と思うけど、もう感情剝き出しのあんじゃん。

「やばいです！」とか「もうダメです！」とか。「もうダメならメールいらねぇだろう。なんでダメでメールしてくるんだバカじゃないの？」って思うけど。

でも、そうじゃないね、「先生、お世話になっております。大変お忙しいなか、何度も急《せ》かして申し訳ないですけど……」って書いてあると……そのとき大事なのは、本当にギリギリの時間のちょっと余裕を見て書いてくれないと（笑）。

「ここが限界だよ」って言われてやるじゃないすか。で、人間なんで、いっぺんにガーッとやっても燃え尽きちゃうんですよ。大体そのときに「いや、ここまでしか書けなかった。悪いな。落ちちゃうかも」ってなったときに、「平山先生。あと半日あります」って言われると、すっごくうれしくなるんだよね（笑）。

なんかね、「命の水を飲んでもいいよ」って感じ。これでちょっと寝られると思って。休んでから原稿を入れる。俺なんかそんなパターンが多いっすね、考えてみたら。ただ、本当に余裕がないときあるじゃん。

春日　（笑いをこらえながら）うん。

平山　もう、そのときはもうがっかりだよ（笑）。「お前（編集者）もプロなんだからさ。もうちょっとうまく俺を操れよ」って思うんだけど。そんなこと言ったってね、向こうだってね、真面目な人が多いです。ハンドルだってさ、ちょっと遊びがないといけないのに、ガッチガチで回ってくると大変ですよね。

春日　「焦る」って言えばさ、「ちょっとご相談が」っていう、メール来ない？

平山　なんですかそりゃ？
春日　「この原稿はまずい」とか「書き直せ」に近いような。
平山　はあはあはあ。
春日　「ちょっとご相談が」って。
平山　はい、それはね、僕はほとんど来ないんですよ。
春日　あ、そうなの。
平山　もうフェイルセーフを超えてますから（笑）、相談できないんですよ。春日先生はほら、締め切りフォビアだもんね。
春日　そうね。
平山　だからもう前に書いちゃうんでしょ。締め切りのどんぐらい前に書くんですか、先生？　例えば、1月1日が締め切りだといつ上げるんですか？
春日　そしたら12月の上旬ですね。
平山　ちょっとね、おかしいですよ、それは。だから相談されちゃうんですよ（笑）。僕は1月1日って言って大体1月31日ですから、渡すのは。だから、編集者からのご相談はないんですよ。相談しません。

春日　もう、犯罪に近い（笑）。

平山　僕、『いま、殺《や》りにゆきます』（光文社文庫）って本を出したんですよ。あれが確かね、やっぱコンビニで売るっていうんで、4日かなんかで書いたんですよ。そのときは時間がなくて、印刷所に編集者が行って。もう印刷やってるときに、そこの工場長みたいな人がパーっと走ってきて、「あんた、平山やってんだろ」って言われたらしいんですよ。「はい」って答えたら、「うちは平山、ひと月に2本は無理だからな」って言われて。なんかラインが空けてなかったとか。

春日　なるほど。

平山　「『うちは平山2本は無理だぞ』って言っとけ、あいつに！」って言われたらしいんですけど、俺はよく分からなくて（笑）。ね、だから大変なんでしょう。

春日　う……うん。

平山　だからある意味、春日先生が太陽だとすれば僕は北風みたいな感じでね。春日先生はご相談されちゃうのね。でもさ、いいじゃないすか、ご相談。そろそろと迫ってくるような感じなんでしょ？　そういうとき、先生も原稿を直しちゃうんでしょ？

春日　そりゃ直すよ〜。謝りながら直すよ。

［表5］〈事前質問：職場での悩み編〉	
①	休みの日にも、つい仕事のことを考えてしまう。オン・オフの切り替え方は?
②	ミスをしてしまうと、いつまでも気持ちを切り替えられない。
③	リモートワークでは、リアルタイムにコミュニケーションが図れないので「モヤモヤした気分」になってしまう。
④	オンラインが増えたことで仕事は進めやすくなった一方、気軽な雑談などができなくなってスッキリしない。
⑤	若い人の間では「メンヘラ」という呼び方がしばしば使われるようだが、では職場においてメンヘラを定義するなら、どんな人たちでしょうか?
⑥	会議や打ち合わせの場で意見やアイデアを思いついても、つい遠慮したり気後れして何も言えないまま終わってしまうことが多い。
⑦	業務を進めるにあたって、確認や質問を「しつこい」くらいにしないと気になって仕方がない。でも上司にそんなことをするのは気後れして、結果的にイライラしてしまう。
⑧	コロナの危険性に関する認識やワクチンに対する考え方については、人によって大きな違いがある。知人なら話し合いで妥協点を探ったり、あるいは距離を置くこともできるだろう。だが仕事関係の相手だとそうもいかない。どうすればいいか?
⑨	私はもともと外向的で、外回りや他人としゃべるほうが好きである。でも、今の仕事は、地味にコツコツと目の前の仕事をこなしていく種類のものなので、気分が鬱々としてしまう。
⑩	一体、自分のしていることはどれほど役に立っているのか?　正しくやれているのか?　そもそも何を期待されて今の部署にいるのか?　そういったことが感謝とか評価の形でフィードバックされないと、不安や寄る辺なさを覚えてしまってツラい。
⑪	自分なりに仕事を頑張っているつもりだし、仕事が嫌いなわけではない。でも、ちゃんと評価されるわけでもなく、同期と比べて出世も遅い。これではむなしい。こんな私はどうすればいいんでしょう……。

平山　直しちゃうね。先生、そういうところいい人だもんね。

仕事の疲れには薄口を

春日　質問コーナー。「職場での悩み編」（表5）ですね。5―①いきましょう。

平山　「5―①休みの日にも、つい仕事のことを考えてしまう。オン・オフの切り替え方は？」

春日　えーとね、オン・オフの切り替えにこだわるってことがね、おかしいんであってさ。仕事がうまくいってこそ、休みも楽しくなるからさ。仕事と休みが適度に混ざり合った日常のほうが自然だと思いますけど。

平山　オフにできない理由がどっかにあるんじゃないですかね？

春日　「オフにしなきゃダメだ」って思い詰めるのがね。そういう思考と、メリハリの利いた生き方とは別なんだけどな。

平山　だって、仕事ってオフにならないよ。宝くじで12億円ぐらい当たったら、完全にオフにできますけど（笑）。逆にオンにできなくなるか。濃度を薄めればいいんだよ。電池じゃないから。会社にいるときはもう100％牧人《ぼくじん》みたいになってるけど、どんどん会社から離れるためにどんどんどんどん酒だの何だの入れて薄めておくしかないですよ。ゼロはないですよね。

春日　それをオン・オフって妙に区切っちゃってさ。

平山　「オン・オフ」が英語だからダメ。英語だからね、薄口、薄口。

春日　薄口ね。すごいな。

モヤモヤした悩みを、モヤモヤと斬る

春日　はい、では5―②いきましょう。

平山　「5―②ミスをしてしまうと、いつまでも気持ちを切り替えられない」

春日　まあね。よくあるけどさ、ミスをしてもね、悔しいのか、恥ずかしいのか、勤務評価が気になるのか、自己嫌悪か。そういうね、「いったい何が結局、がっくりくるのか」っていうあたりを明確化してさ、自分なりに反省すりゃいいんだと思いますけど。

平山　そうですよね。

春日　なんか、全体としてぼんやりと「ああ、ミスしてしまった」と、そういう状態でしょげても意味ないですよね。

平山　ミスって種類をちゃんと見てるのが大事だなと思うんだけど、「自分で許せるミスなのか、許せないミスなのか」というね。やっぱり、「自分が人にやられてイヤなことを相手にしてしまって起きちゃったミス」とか、絶対しちゃいけないし。そうじゃなくて一生懸命やったけど、「あ、ちょっとトイレの電気を消し忘れちゃった」みたいなミスだったらいいわけでしょ（笑）。

春日　そうそう。

平山　だからその辺りを、やっぱミスの種類を考えるといいような気がしますけどね。

春日　そうだよね。じゃあ次の5―③と5―④は、もういっぺんに答えましょう。お願いします。

平山　「5―③リモートワークでは、リアルタイムにコミュニケーションが図れないので『モヤモヤした気分』になってしまう」「5―④オンラインが増えたことで仕事は進めやすくなった一方、気軽な雑談などができなくなってスッキリしない」

春日　そんなの誰もがそうなんだから、あきらめるしかないですよね。

平山　今ね、まだオンラインとか黎明期《れいめい》だから、こういうこと起きるんですよ。特にね「テレ飲み」とかあるじゃないすか。「テレ飲みやろう」なんていうと、あれ、全然楽しくないんですよ。

春日　だろうね。

平山　なんでかっていうと画面に自分の顔が映ってるじゃないですか。普通ね、人間って視線外すんですよ、しゃべってても。だから、ずっとここに自分の顔が映ってるのを認識して見ながらだと楽しくないですよね。ずっと片足立ちしてるみたいなんで、それは疲れちゃいます。ただ、それが失礼だと思ってるからこうやってるだけで、だんだん慣れてくると、ちょっと横見てても「ああ、聞いてるな」とか、なんかそういうサインみたいなものが出るようになるんじゃない？　「今、彼は集中してます」みたいなのが、横を見ててもね。そうなればね、うん。

春日　そういうのが「with《ウィズ》コロナ」ね。

平山　そうそう、そうなんです。

メンヘラを定義する

春日　はい、じゃあ次行きましょうね。5―⑤ですね。

平山　「5―⑤若い人の間では『メンヘラ』という呼び方がしばしば使われるようだが、

では職場においてメンヘラを定義するなら、どんな人たちでしょうか？」

春日　これはもう、「職場における自分の価値や存在意義を確認するために、あえてトラブルや騒ぎを起こす」。それは「急にうつになって休みます」とかそういうのも含めてね、あえてトラブルや騒ぎを起こして周囲の反応を試す人ですね。

平山　なるほどね。

春日　しかもね、半分無意識でやってるから、たちが悪い。そういう、試すっていうふうなことをするのがね、メンヘラの一番の特徴なんで。

平山　自分が今どう思われてるかとか、どう見られてるかとか。

春日　そうそう。だから例えば、単にガサツなヤツとか、自己中心なヤツとか、それはそれで「まあ、そんなもんだ」ととらえる対応策もあるけれども、こういう反応を見るようなヤツってのはさ、反応しても、またギャーギャー騒ぐし、反応しないとまたギャーギャー騒ぐし、本当に疲れます。エレガントじゃないんだよ、自己愛は強いくせに。

平山　なるほどね。なんかメンヘラでも本当にメンタルヘルスに問題がありそうな人と、あとちょっと変わりもんっていう使い方みたいなのも、なんか若いヤツは言ってるような気もするんです。

春日　ただ、メンヘラの場合やっぱり「迷惑」っていうのがありますよね。
平山　ある意味、「それも個性じゃないの？」って思うようなのも、僕の知り合いの中にはいるんですよ。ただ、周りがそれで迷惑するようだと問題ですけどね。

自己愛を飼いならす

春日　それでは、5—⑥はどうでしょう。
平山　「5—⑥会議や打ち合わせの場で意見やアイデアを思いついても、つい遠慮したり気後れして何も言えないまま終わってしまうことが多い」
春日　これもね、けっこう「自己愛の問題」だと思うんですけれどもね。自己愛ってね、2種類あるんですよね。ひとつは、あの「誇大妄想」の「誇大」で、「誇大型の自己愛」。これは例えば「俺はイケてるから、写真を写すときは一番前だ」みたいなさ、もうある種の目立ちたがり屋っていうヤツ。ま、分かりやすい。これ、欧米のほうが多いんでね。で、日本に多いのはね、「過敏型自己愛」ってヤツだよね。これはあの、自己愛が強すぎるあまりにね、恥をかきたくないとか、みっともないことをさらしたくない。だから、現実的にどう振る舞うかっていうと、目立たないようにするんですよね。目立たないから控えめな人かと思うととんでもなくて、実は野心満々というね。だから、そういうある種の「隠れナルシスト」みたいなのに近いようなところはあるかもしれない。

平山　なるほどね。

春日　で、引きこもりが多いよね。やっぱり「恥をかきたくない」とか、いろいろ思うようにいかなかったというあたりで引きこもっちゃったりしてさ。

平山　そういう自己愛っていうのは、なかなか曲者ですよね。なきゃないで困るだろうし。

春日　まぁ、いかに自己愛を飼いならすかって話です。

平山　会議や会話で自分の発言を否定されたり、恥をかくのがイヤで黙ってるけど、ずっと後悔が残ることってあるよね。で、帰り道で「あれ言えば良かったのに！」なんて。そういうのってさ、結構その場に「馴染《なじ》んでない」って、自分が思っちゃったときとか、よくありますよね。

あと、権威のある人なんかの「鶴の一声」とか。でも、印籠を見せて、ガーッて「俺はこういうもんだぞ」って言いたいんだけど、印籠じゃなくて〈はんぺん〉だったりすることもよくある（笑）。「あれ？　今、見せられてるこれって〈はんぺん〉かな？」ってね、あるよね。

あと、よく「隅でコソついてるヤツら」はいますよね、会議でね。

春日　あ、いるね。土の中の虫を食べて生きている小動物みたいな人たち。

平山　（小声で）「これはこうしたら」「シッ！　こっち見てるからさ」みたいな。いいよね、ああいうの好き、俺は。でもまぁ、本人は大変なんでしょうけどね。

春日　しかし、そういうのもね、場を重ねていくと……。

平山　そうね。図太くなっていくこともあるでしょう。この質問している人は初々しいんじゃないですかね。

確認強迫とうまくつきあう

春日　そうですよね。えーっと、じゃあ5―⑦いきますかね。

平山　「5―⑦業務を進めるにあたって、確認や質問を『しつこい』くらいにしないと気になって仕方がない。でも上司にそんなことをするのは気後れして、結果的にイライラしてしまう」

春日　ちょっとね、「確認強迫」っていうとこがあるよね。これね、上司に素直に「私、こういうところあるんで」と打ち明けたほうがいいと思いますけれどもね。

平山　でないと、上司からすると「なんでなんだ？　聞いてないのかな？」って思っちゃうから。「そういう癖はありますよ」って言ったほうがいいですよね。これって、強迫みたいな形で強くなっていくんですか？　やっぱり。

春日　いや、調子悪いときは強くなるといった感じじゃない？　発達障害の人なんかでも、そういう傾向あるけれども、彼らってあんまり自覚できないから。

平山　忘れちゃいますからね、ニワトリみたいにね（笑）。

春日　周りのほうが参っちゃう。当人に悪意はないのにさ。

平山　さっき言ったのに「え⁉　言いました？」っていうようなこと、ありますよね。でも、これはやっぱり説明したほうがいいかもしれないですね、うん。

ワクチン接種の妥協点を『ムー』で探る

春日　5―⑧はいかがでしょうね？

平山　「5―⑧コロナの危険性に関する認識やワクチンに対する考え方については、人によって大きな違いがある。知人なら話し合いで妥協点を探ったり、あるいは距離を置くこともできるだろう。だが仕事関係の相手だとそうもいかない。どうすればいいか？」

春日　個人的な考えなんか披露しなくていいんじゃないですか。会社なりの指針があるとしたらそれに従っているだけで、とにかく他人に迷惑をかけないように心がけています、と。主義主張ではなく、マナーの問題にとどめておくべき話だよね。

平山　コロナでワクチンを「打つ、打たない」は、それぞれの思想だったりもするから、ある意味、もう個性みたいなものですよね。

春日　うん。

平山　お互いに「大変だな」と思いつつ、「相手はそういう個性を持ってるんだ」って対応するしかないですよね。変えるってことは難しいし。今、これだけ対立してるけど、共通の認識はまだ出てきてないよね。

春日　こいつ陰謀論にかられてんだなとか。

平山　そうそうそう。「あ、好きなんだな」っていう。

春日　『ムー』読めよって（笑）。

空気のパッチンで心をキレイに

春日　じゃあ、5―⑨お願いします。

平山　「5―⑨私はもともと外向的で、外回りや他人としゃべるほうが好きである。でも、今の仕事は、地味にコツコツと目の前の仕事をこなしていく種類のものなので、気分が鬱々としてしまう」

春日　まあ、これは「『自分に向いてない仕事だ』ってうなだれる」か、あるいは「こういったことも経験しておいたほうが財産になる」と思うか。そこが重要だよね。少なくとも被害的に捉えないほうがいいよね。

平山　そうですよね。今、こういうこと多いですからね。だから問題はあれでしょう？ 気分が鬱々としてしまうんだから、気分が晴れ晴れとするようなことを何か作ったほうがいいっすよね。

春日　そうだね。

平山　なんだろう、あの空気のパッチンみたいなのいっぱい潰すとかね。手でやりながら「あの人、いっつも動いてるけど」みたいなね。いいじゃないすか。「今日は1シートやったぞ」とか思ってね。

春日　うん（笑）、気泡緩衝材ってヤツね。エアキャップに閉じ込められていた空気を逃がしてあげたんだから、そのささやかな空気からは感謝されるだろうしね。

平山　なんか、そういう鬱々としないことを考えたほうがいいですよね。

春日　そうですよね。まぁ、こういう仕事もね、もう「天から与えられたもんだ」って思って納得してね。

平山　（笑）。使命だと思って納得してね。「Calling《コーリング》（天職）」だと思って。

春日　どんどん心がキレイになっていきそうね。じゃ5―⑩いきましょう。

期待と苦労に見合う褒美が欲しい

平山　「5―⑩一体、自分のしていることはどれほど役に立っているのか？　正しくやれているのか？　そもそも何を期待されて今の部署にいるのか？　そういったことが感謝とか評価の形でフィードバックされないと、不安や寄る辺なさを覚えてしまってツライ」

春日　まあね、気持ちは分かるけどね。こういう中途半端でさ、曖昧な状態っていうのはさ、あらゆる仕事に付きまとうわけじゃないですかね。平山さんだって作品を書いてて、これがどういうふうに評価されるかとか、面白いと思ってもらえるかとか、そんなのなんの保証もないでしょ。

平山　なんにもないですね。

春日　「だけど、やるっきゃないぜ」っていう感じでしょ。もう、「そういうふうなのに耐えるということでカネもらってる」ようなもんじゃないですかね。そんなに分かりやすくね、すぐにリアクションを求めるっていうこと自体が、社会人として間違いだよね。「いいね！」ベガーと同じじゃん。

平山　感謝とか評価の形でのフィードバックは、自分ではどうしようもない。相手に軸足を乗っけちゃってるとツラいと思うんですよ、この方は。だって、どうしようもないんだもん。向こうは勝手に何言うか分かんないわけでしょ。

だから、自分が「その仕事のここは良かった」とか、「俺はこれにこだわりをもって、これはできたんだから良かった」って思うしかないような気がする。俺自身は評価ってあんまり気にならないんすよ。

春日　ほう。そうなんだ。

平山　最初に世に出たときから「こんなひどいものはない」って言われてたんで（笑）。それよりやっぱり、「自分がそれを思いっきりできたのかどうか」のほうが大事な部分があるんで。そういうふうにしないと逆に評価で振り回されることになって、大変なことになるような気がする。

春日　しかしね、意外と自分でうまく書けたと思ってさ。そうしたら、編集者から「玉稿いただきました」という連絡がきて、そのくせその後がなんか妙にそっけないときって……。

平山　はい、ありますね。

春日　なんか、もうちょっとね。鼻白むっていうか。

平山　いや、だから大事なの、それはね。編集者の人に一番覚えてもらいたいのは、「いかに作家を喜ばす感想文を送ってこれるか」だね。

春日　そうだよね。「編集者冥利につきます」みたいなね。

平山　そこでまず言いたいのは、短縮しなくていいから。もう「玉稿」とか書いちゃうと「玉の稿なんだよ」。「それでいいじゃん」となりそうでしょ。違うんだよ！　「ここは良かったよ」とかさ。編集者が作家に戻す感想はマッサージと一緒ですから（笑）。

春日　そう。

平山　「今まで大変だったね」って言ってマッサージしてくれるようなもんで。「玉稿、いただきました」だけだと、「あっ。もう終わっちゃったんだ」って。駅の通路にあるマッサージ屋みたいなもんじゃ困るからさ、もうちょっとやってもらいたいですね。

春日　送られてきた感想をスマホで読むとしたら、延々とスクロールする感じでね。

平山　もう、その量だけでね、「こいつ好き」って思うよね。「あー、こいつはいいな」って思う。

春日　だから考えようによっては簡単なんだよ。

平山　たどたどしくていいの。うまい言葉でなんて書かれるとね、「またこいつ、どっかで……」。

春日　ソツがない人は嫌いです。

平山　なんかどっかにさ、あるんでしょ。「上手な編集者の作家への感謝の例文集」みたいな（笑）。だから、「そういうのを見て書いたんだ、こいつ。これ、コピペだ、コピペ」と。そうじゃなくて、ガッタガタのでもいいわけよ。

まず、長さと速さね。真保裕一さんが『ホワイトアウト』を新潮で出したとき、夜の10時に送ったんだって、編集に。そしたら、12時半か明け方の1時に電話かかってきて、「編集者冥利に尽きます。こんなお原稿をいただいたなんて、本当に……」って。真保ちゃんも人がいいから、のっかっちゃってさ。「そうかい」みたいな（笑）。でも、頑張ったんだから。そっからまたいいのをどんどん出したんだよね。

春日　そうだよね。美談だな。

平山　とにかくね、作家は本当にひねくれてるけど、原稿を書いて終わって投げたときは、ガッバガバに敷居が開いてるから。そこに感謝のパンチをボンボン入れられると「おお」ってなるから、絶対やったほうがいいよ。あのね、うまい文面のメールなんかいらないから。感想は「綺麗な品物」じゃなくて、「民芸」でいいんだよ（笑）。手作りの笠《かさ》とか狸《たぬき》の置物みたいなさ。あれのほうがくるから。感想はもう「民芸メール」でないとダメ。

自分なりに頑張ってる「つもり」

春日　次は5―⑪だね。

平山　はい。「5―⑪自分なりに仕事を頑張っているつもりだし、仕事が嫌いなわけではない。でも、ちゃんと評価されるわけでもなく、同期と比べて出世も遅い。これではむなしい。こんな私はどうすればいいんでしょう……」

春日　多分さ、これ、「自分自身じゃ気がつかない欠点」っていうのね、仕事ぶりなんかにあるのかもしれない。身だしなみとか雰囲気とかさ、ちょっとしたふるまいとかね、何かあるんじゃない？

平山　ね。この質問者の場合だと、やっぱり「同期と比べて出世も遅い」っていうのはやっぱり結構、効いてるんでしょうね。

春日　それって何か問題あるの？　遅いのは恥なのかな。

平山　さっきの回答とちょっと重なっちゃうけど、結局、他人の評価って動かせないから、やっぱり自分の中で仕事に対してもね、「これができたからいいんだ」っていうところはどっか見つけたほうがいいんじゃないかなって気がしますけどね。

春日　しかし「自分なりに頑張ってるつもり」っていうのがね、「お前、それを言うか」みたいなヤツがいるからね、ときどきね。

平山　あるよね。「頑張ってるつもり」って……あんまり「つもらない」ですよね。

春日　俺、小学校のときにさ、転校生がいたのね。妙に生真面目な顔でさ。で、彼が自己紹介したら、迎え入れるほうがさ、いろいろ質問してね。そんときに、なんか割と意地の悪い女の子がね、「自分で勉強できると思いますか？」って聞いたのね。「はい、できるほうだと思います」って答えて、「すげえな」と思った。でもしばらくしたら、全然ダメでした。呆れるくらいダメでした。

平山　かわいそうに。

春日　「おかしいんじゃないか、お前」ってさ。

平山　なんでヤツはそんなこと言っちゃったんだろう？　やっぱ、なんか出ちゃったんだね。よく考えなかったんだ。

春日　けどさ、やっぱり自己評価が変だよ、お前は、って。

平山　でも、子供ならガチャガチャだったんでしょうね、きっとね。俺たちのところにも転校生が来て……僕、住んでたのが川崎じゃないですか。「川崎のヘルズキッチン」って言われてるようなところで。そこに東京から転校生が来るんですね。

春日　はい。

平山　「東京もんが来るぞ」ってさ、すごいみんな緊張して、「これはどえらい頭のいい男、もう俺たちなんかよりも、文化的にも何百倍も上の人間が来るんだ」つって。そしたらおとなしい子で。「僕はこうです」って自己紹介して。転校の挨拶が終わった後は野球だったの。

春日　はいはい。

平山　野球の授業でパーンってそいつ打った瞬間に、セカンドに走ってったのね（笑）。その瞬間に、「あれは大したことないんじゃないか？」って。案の定、大したことなかったんですけど。それと同じね。長くなりましたけど。

穏やかな老後？　春日先生が物申す

春日　先に行きましょう。「プライベートの悩み」（表6／再掲＝次ページ）ね。6―①お願いします。

平山　はい、「6―①65歳まで、健やかな精神状態で過ごす方法」。

春日　頭、変だよね（笑）。

平山　言葉、言葉（笑）。素人だから、みんな。

春日　そんなことあり得ないだろうって。人生はしんどいんだ！　正気かよ。何が「健やかな精神状態」だ（半ギレ）。

平山　いや、「そういうのがあれば、もしかしたら今から備えられるかな」っていうことですよ。ギロチンじゃないんだから。

春日　俺が社長でさ、社員でこんな質問するヤツいたらクビだよ（苦笑）。

平山　本当？　この方は健やかに精神状態を過ごしたいんですよ、きっと。

春日　まあね、気持ちは分かるけど。

［表6］〈事前質問：プライベートでの悩み編〉（再掲）	
①	65歳まで、健やかな精神状態で過ごす方法。
②	メンタルヘルスの不調を抱えている人への接し方。
③	メンタル・クリニックの選び方。
④	ストレスがたまると、つい散財してしまう。どうすればいいんでしょう？
⑤	ホラーだとかグロテスクな映像を見てスッキリする人と具合が悪くなる人との違いって、なんでしょうか？
⑥	ストレスがたまっていると、平山先生の残酷な小説とか残忍なゲームに惹かれてしまいます。それって危ない傾向なんでしょうか？　それとも真っ当な発散方法なんでしょうか？
⑦	平山先生ご自身が、自分の創作活動から悪影響というか、自家中毒となってメンタルが不調になることってありますか？　そういったことがあった場合の対処法は？
⑧	漠然とした虚無感・不安感との付き合い方。
⑨	人生が停滞しているように感じたときにはどうすべきか。
⑩	日常で「楽しい」と感じることがほとんどありません。「楽しい」という感覚を取り戻す方法、あるいは「人生の暇つぶし」としてオススメの方法を教えて下さい。
⑪	コロナ禍になってから、気持ちがすっかり不安定になってしまった。以前のように心に安定を取り戻すにはどうしたらいいのか。
⑫	コロナ禍で人と会うことも少なくなり、独り暮らしで大した趣味もないので、毎日が索漠としてしまいます。救いはあるんでしょうか。

平山　でも、65歳って切ってますよ、この人。大丈夫なんですかね？　あ、これあれだ、会社にいる間ってことだ。

春日　そうだよ、定年。だけど、定年後のほうがね、さっきから話しているようにさ、心が……。

平山　ささくれてくるからね。

春日　そう！

平山　いや、そうだよ。だから逆に考えれば、65歳までいろいろあると、今、本人は思ってるかもしれないけど、こっちのほうがまだマシなんですよ。65歳以降考えるとね。ちゃんといろんなことができなくなっていきますからね。

春日　ま、将来、暴走老人だね。

平山　いやいやいや。盆栽の趣味とかいいんじゃないすか。あと、スペイン料理行くと、お皿投げさせてくれるところもある。

春日　はいはい。アマゾンにピント外れの悪口レビューを投稿するとか、まあいろいろと。

平山　ストレス発散法がね。

心の不調にはさりげなく、本音に近い回答を

春日　次は6―②ですかね。
平山　「6―②メンタルヘルスの不調を抱えている人への接し方」
春日　うん、これはもう「さりげなさ」が基本ですね。「気を遣ってる」って思わせちゃうとね、もう向こうは余計に心苦しくなるんでね。
平山　「大丈夫?」とかあんまりやるとね。
春日　それ以外は特にないです。
平山　だからって、あんまり無視するようなんではいけないんですね。
春日　そうそう。見捨てたわけじゃないんだから。
平山　やっぱり、「ちょっと見守ってるけど」みたいな感じでさ。でも、例えばその人が結構大きめの心の相談とかボンッて投げてきたときとか、どうすればいいんですかね?
春日　こっちで答えを出せるんだったら答えればいい。無理だったら「私には無理」ってはっきり言えばいいんだよ。
平山　そうなんですか。「俺、最近もうちょっと落ち込んでて、なんかたまに死にたくなるときあるんだよね」なんて言われて、「(答えるの)無理」なんて言ったら……。

春日　誠実さのあらわれとしての「無理」なんだよね。突き放しているんじゃなくて。

平山　無理が違うんだね。

春日　「うーん、答えるの無理です。そこまで悩んでんだったらね、ちょっと僕なんかでは対処しきれないから」とね。「ただ、俺個人としては君に生きててほしいと思っているけど」と付け加えるけどね。

平山　そういうのね。

春日　うん、やっぱりね、死ぬとかそういうふうなのってさ、よく電話でもかかってくるのね。特に精神保健福祉センターにいたときに。そういうときってさ、論理じゃ対抗できないじゃない？「自分で自分の命を絶ってはなぜいけないのか」なんて、そんなのさ、論破できるはずないからね。だからもう、最終的にはさ、「俺はあんたに死んでほしくない」と、それを言い続けるしかない。

平山　そうですよね。

春日　結局、向こうもそういうのを求めてるからね。いわゆる公式発表じゃなくて、個人的見解という「本音」に近いようなものを。

平山　そうですよね。それでさりげなさがあって、ちゃんと見ておいてあげる気持ちを伝える、と。

優良カウンセラーを見極める方法

春日 6―③に行きましょう。

平山 「6―③メンタル・クリニックの選び方」。あ、これ分かんないです。

春日 なにせ、漫画で宣伝してるようなとこはやめるべきだね。「漫画で分かるナントカ」みたいなの。「たったひとつのやり方」なんてのたまうのも。

平山 ああいうのの監修やっているところ？

春日 そうそう。とんでもねぇよ。「ああいうの」の尻拭《ぬぐ》いをこっちはやってんだから。イヤだよね。

平山 いや、カウンセラーって本当にゴミみたいなヤツいるからね。僕も以前、知り合いのことで相談に行ったのね。「こういうヤツの話なんですけど」って。最後のお会計のときに、本人なら保険か何かで安くなるんだけど、「あなたは他人の話をしにきたんで2万円」って言われて。「えっ。なんだそれ」って。しれっと請求されましたよ。

ま、本当は他人が行っちゃいけないんでしょうけど（笑）、でも、病院の精神科なら分かるけど、カウンセリングはねぇ。本当、どう見極めればいいんですかね？

春日　カウンセリングはね、平山さんだって「カウンセラーです」って言えば、通っちゃうんだから。「心屋夢明《こころや》」です、とか。

平山　えっ。そうなの？　それじゃ困るじゃないですか。例えば、「ちょっと眠れない」とか、「ちょっとイヤな悩みがぐるぐるしてる」とかって思ったときに、どこかに相談に行きたい、と。病院は敷居が高いから、カウンセリングでいいかなって場合に見極める方法、ないんですか？　カウンセラーの「カの字」が多く書いてあるとか（笑）。

春日　ないねぇ。

平山　ないの⁉　どうすればいいの、そしたら？

春日　そしてね、ネットの口コミはあてになんないしね。

平山　でも、ネットで見ちゃいますよ、やっぱり。お医者さんの評価ネットみたいなのって、あるんですよ。「ここへ行ったら、先生も優しくてクリニックも明るくて、とっても親切」なんて書いてあってハートが5ぐらい並んでて。そういうタヌキが多いでしょ。

春日　そうそう。

平山　どうすればいいんですかね。

春日　結局ね、ひとつには「どんなところに行っても、ある程度は良くなる」っていうこと。というのはさ、どっかね精神科とか、そういうふうなところを受診しようと思ってね、その決意に至っているわけで。それができるのはけっこう自己治癒してる部分って、あるわけだし。

平山　あ、自分で治そうとしてる。

春日　自分を客観的に見れてるわけよ。「これは、なんとかしなきゃいけない」って思って、アクションができる。それだけのエネルギーもある。だから、受け取る側のこっちとしてはさ、まずは「よく勇気を振り絞って来てくれたね」とそこを褒めたたえるっていうことから始めるんですけれど。

平山　なるほどね。

春日　ま、そういうふうな意味ではね、「実際に受診しよう」って動くというあたりで、結構いいとこに実はいってるっていうところあるんだけど。

平山　さっき言ったように、「精神科は敷居が高い。カウンセリングっていうほどダラダラしゃべるのもイヤだ」っていった場合に、「内科に行って簡単に不眠の薬とかもらおう」なんて思うときとかあるじゃないすか。あれはどっちの判断がいいんですかね。

春日　あのね、それ、医者によりけりでね。ホイホイくれるのもいれば、なんか偉そうで不愉快なヤツもいますよね。だいたい俺さ、自分の母校で受診したことって何回かあるんですよ。ひとつはね、「ひょっとして大腸がんじゃないか」と心配になったりして。そのときにこっちは卒業生だとか医者であることも言わなかった。

平山　はい。

春日　えっらそーでさ。

平山　自分の母校の後輩が（笑）。

春日　そうそう。「てめー、何考えてんだよ」ってね、言ってやろうかと思った。

平山　あ、言わなかったんですか？

春日　喉もとまで出そうになったけどね。

平山　お医者さんでもけっこう愛想のない人がいますからね。『白い巨塔』の財前教授みたいなヤツ、いますよね。「切るしかないです」とか、いやいや、ちょっと検査しないんですかとかさ（笑）。なんですかね？　怖いっすね、あれ。

春日　だからね、それに関してはもう、運としか言いようがない。いや、これひどいと思ったのがさ、某病院でのことなんだけど、ある医者が急に休んだんで、そいつの外来をとりあえず俺が代わったわけね。患者さん、呼び込むじゃん、「なんとかさん、どうぞ」と。診察室に入ったら、その患者さん、突っ立ってるの。「何突っ立ってるの？　座りなさいよ」って言ったら、「え!?　座っていいんですか？」ってびっくりするんだよ。

よく話聞いたらね、その医者ね、患者用の丸椅子、隠しちゃってんのね。

平山　ほう。

春日　そうすると、患者さんは立ってしゃべらなきゃなんないじゃない。疲れるんで、早く終わるわけ。

平山　ひっど。何それ、ホントひどい。ただでさえ、心が疲れてる人なのに。

春日　だけど、立ち食いそばでさ。

平山　どんどんどんどん回していく。

春日　そうそう。「ひっでーな」と思って。

平山　それ「ボッタ医者」ですね、はっきり言って。

春日　そいつ、今、何してるかって調べたらさ、開業してんだけどさ、自費診療専門。

平山　保険使わせない。

春日　そう。

平山　うわ、ひどいね。
春日　だけど儲かってんだよ、悔しくてさ。
平山　なんか、神奈川の海の近くの医者みたいな感じ。単なるイメージだけど（笑）。
春日　俺も開業するとしたらさ、やっぱり自費専門でね、森ビルあたりに。いい家具を揃えて。しかも、メンヘラのタレントばかり相手にするの。まさに金蔓《かねづる》ってヤツね。
平山　よくありますよね。歯科医師でも審美歯科みたいなのを始めるの、見たことありますよ。まあ、しょうがない。元手かかってるからね、先生たちは。俺なんて頭打ったら作家になってたみたいなもんだから。親に殴られすぎて作家になっちゃったみたいなさ。元手はかかってないですよ。大変なんだよな、お医者さんってのはね。
春日　それはそれとして、とにかくね、「漫画で宣伝」は薦められないっていうのはあるとしてね。
平山　あと「合わないな」と思ったら代えていいでしょう？
春日　代えていいよ。だからね、そういう意味ではとりあえず家の近くか職場の近くか、通いやすいところから行ったほうがいいですよ。通うのが苦痛じゃ、治療どころじゃない。
平山　医者の歳はどうですか？　若いほうがいいとか。あんま関係ない？

春日　若いと未熟だけど親切ってヤツはいるよ。年寄りの医者はね、本当にイヤなヤツから、いいのまで……。

平山　いろいろいるんだ。赤ひげ先生からあくどいのまでね。

春日　そう。だからね、本当にこれもね……。例えば、同じ病院行ったとしてもさ、複数の医者がいる。

平山　はいはいはい。曜日によってね。とりあえず、まずは近場から。変だなと思ったらどんどん代えたほうがいいそうです。自分が悪いんだと思うんじゃなくてね。

春日　ハズレのクリニックだか病院に行ってしまったとしてさ、そんなとこの精神科に行くような状態ってもう運が悪い状態だから（笑）。

平山　運が悪い（笑）。また占い師のほうに引っ張られてますね、運とかいう話が出てくるところは。

春日　だから、まず手近な占い師のところに行ってね（笑）。

平山　えー!?

春日　いや、これは冗談。

平山　はい、分かりました。

我が身の現実を実況中継しよう

春日　すいませんね、つまらんことを申して。６―④お願いします。

平山　「６―④ストレスがたまると、つい散財してしまう。どうすればいいんでしょう？」

春日　さっきも言ったように、そのほうが普通だよね。

平山　ストレスがたまっているのに散財しないってどういうことなんだろう？　それじゃ、経済回んねえだろうと思いますけどね。

春日　そうだね。昨日も俺さ、ビームスのバーゲンでコート買っちゃいました。

平山　ストレスたまってたんだ、今日の収録があるから（笑）。「明日どうしよう」とか。

春日　そうそう。

平山　もう繊細すぎるから、ダメ。

春日　しかも、その前の日はね、やっぱりいろいろあったんでね、ちょっとまとまった仕事を気合入れてやろうと思ってさ、モレスキンの手帳買っちゃった（笑）。

平山　すご。でも、精神科のプロがストレスで散財するんですから、あなたがしなくてどうするっていう問題だ。ただ、散財にしてもさ、ゲソが出ちゃうぐらいやっちゃうと困るから、大体ね。

春日　ただね、もうちょっと分別を利かせようと思ったらね、俺が思うにね、「実況中継」するると。うん、自分自身を古舘伊知郎みたいにして……。
平山　「今、今、買おうとしております」
春日　「な、なんとこんなものを買おうとしております」と（笑）。
平山　なるほどね（笑）。そういうのありますよね。
春日　だけど、実況中継って意外と重要でね。虐待なんかを受けた子供を収容する施設ってあるじゃない。ああいうところに入ったばかりの子って、もう職員が近づいただけでギャン泣きしてさ、どうにもなんないっていうのがあるのね。そういうのをどうするのかっていうとね、まず、とりあえず近寄れるところまで近寄ってね、これ以上、近寄ったらギャン泣きというそのギリギリのところまで行く。本人（たとえば虐待された児童）はなんか好きなことやってるからさ、実況中継するんだってね。
平山　はあ。
春日　「今、夢明くんは積み木を持って何か積んでいます」とかね。
平山　その子がやっていることをね。
春日　「楽しそうだから私も一緒に積みたいところなんだけれども、多分、夢明くんはイヤがるだろうから、今日は我慢します」とかさ、そういうことをね、ずっと繰り返してるとね。

平山　聞こえてますからね。

春日　そうそう。で、距離もだんだん縮めていけるっていうね。結局、向こうに「客観的視点を与える」っていうことと、離れていてもある種のフレンドリーなコミュニケーションが成立してるっていうんで、何かこうガードが下がってくるそうです。

平山　虐待を受けた側は「大人が何をしてくるか分からないから怖い」わけでね。でね、叩くときの大人って、ガーッと怒ってるのもいるけど、恒常的にいつも叩いてる大人は能面みたいに表情なく叩いてくるから、分かんないんですよ。

春日　いきなり叩いてくる。

平山　そう。だからそうやって「今、何々してます！」って言葉に、「この人は見てるんだな」って安心するんですよ。それが黙って近づいてくると、「また自分に何か不満があってやられるのかな」って思うんじゃないですかね。

春日　しかし、編集者が実況中継しながら来たら怖いでしょうね。「もう締め切り過ぎてむかついてんですけど。できれば締め殺してやりたいんですけど」なんて言いながら

（笑）。

平山　「アウト！」って言うよね（笑）。「シッ」て言うね。「うるさいんだよお前」と。「今、文字を打とうしています。『我々は』と打とうとしています」「うるさいよ、お前。いや、やめろ、そういうの」って言うね。

でも、とりあえず散財するのは別にいいんじゃないかな。まぁ、あんまりひどいのはアレですが。だからね、「散財袋」を作っとくといいですよ。

春日　うん。

平山　散財したい用に「この袋の中の金額だけは使っていい」つって1万ぐらい入れて、ポッて置いておくわけ。「うわー」ってなったときに、そこから出して使うとかさ。それはいいんじゃないですか。

春日　しかし、散財袋ってかえってストレスをつくりかねないかも。

平山　なんで？

春日　いやね、「あのシャツだったら買えるけど、コートはちょっと買えない」とか。また次のストレスを生んでしまう。

平山　あー、そうかそうか。散財袋の中身もね、いくら入れるか。まぁね、あんまり大きい額もね。先生はほらね、マウントがでかいから、コートとか買っちゃうんで。俺なんか、そんないかない。ワーッと買いたかった物に手を出しても、海洋堂のガラモンの模型とか買うぐらい。

春日　高いじゃない、あれ（笑）。ビリケン商会のよりは安いかもしれないけど。

平山　「『ガラダマ』だー。買ってやろう！」って言って。今、怖いのはポチれちゃうから。

春日　それ。

平山　昔は外に出ないといけなかったんだよな。店は夜になったら閉まるしさ。今は24時間やってるから。もう、本当、自分へのプレゼント感覚が強すぎて。

春日　そうそう。

平山　ふっとポチって、外から帰ってきたら届いてたりして。「置き配」とかいって、ガリガリッと開けたら「あー、『ガラダマ』だー」（笑）。で、フィギュアを置いてみると「別にそんな大したことないな」って。

春日　いや、毎日、自分へご褒美になっちゃうよね。

平山　本当ですよね。ま、度を越さなければいいんじゃないですかね。

ホラー映画の薬効を求めて

春日　はい。それもまたよし、と。それじゃあ6―⑤。

平山「⑤ホラーだとかグロテスクな映像を見てスッキリする人と具合が悪くなる人との違いって、なんでしょうか?」

春日　これ、作品との距離の取り方だよね。

平山　まぁ、そうですよね。

春日「この監督、こういった効果を狙っているんだろうな」とかさ。

平山　ホラーとかね。

春日　ただそれでもね、『ゾンゲリア』（1981年の映画で患者の目に看護師が注射針を刺すシーンが有名）はダメですね。生理的に無理。

平山　はいはいはい。いい映画ですけどね。

春日　目はね。眼球に突き刺さるのはね。

平山　注射針がブスッとね。今度、いいの来ますよ。『TITAN　チタン』って題名で。チタンプレートを頭蓋骨に埋め込んだ女の子で。それでその子は車フェチだか、金属フェチになるというとんでもない話ですけど。カンヌ国際映画祭のパルムドールを獲って。

春日　ほぉ。

平山　でも、僕なんかの場合は、割と現実逃避的にホラーとかグロなの見てたときあったでしょ。結構、学生の頃って悩みが自分じゃ解けないじゃないすか。だから、耐えられなくなるとホラー映画を見に行く。すると、そんときだけ悩みを忘れるの。

春日　うん。

平山　全部忘れてる時間が欲しくて。映画館を出ると、やっぱストレスがちょっとスッキリしてるところもあって。だから、ホラーとかいっぱい見に行って。でも、それって要はホラーの薬効を求めてるわけですよ。

お酒が好きで飲んでるのじゃなくて、酔いたいから飲んでるのと一緒だから、だんだん味付けが濃くなって。すんごいグロテスクなところまでいった。でも、やっぱりコップがいっぱいになると、「もう、どれ見ても一緒かなあ」と思う。

春日　まぁ、確かに最後はどれも一緒。

平山　そうなると今度は逆にそういうものは、そんなに見たくもなくて。ちょっと普通の人の気持ちが分かるようになりました。

春日　僕ね、映画館行くとさ、出たら夜になってたみたいなのイヤなの。

平山　え⁉　イヤなの？
春日　こんなので時間を無駄にしてしまったって。喪失感が襲ってくる。
平山　あ、そう⁉　俺は「もう一日終わった！」と思って楽になる。「ああ、良かった。あとは飯食って寝るだけだ」ってね。「もうジタバタしたってしょうがねえよ」って。
春日　あのー、後悔する気持ちというのがないの？
平山　だって、しょうがないもんね。ネジ巻き持ってるわけじゃないからさ、時間戻らないじゃん。やっちゃったんだから。
春日　こういう人、人を殺しても「もう、しょうがねえか」って……。
平山　あんた、さっきより悪くなってるから（笑）。僕の評価がかなり落ちてる。営業妨害ですから（笑）。ただでさえ僕は「2～3人、殺ってるんじゃないか」って大沢在昌先生から言われたりもしてるんですよ。やめてください。

平山流、ヤバいホラーの見分け方

春日　じゃ、それはそれとして（笑）、6―⑥行きますね。
平山　はいはい。「6―⑥ストレスがたまっていると、平山先生の残酷な小説とか残忍なゲームに惹《ひ》かれてしまいます。それって危ない傾向なんでしょうか？　それとも真っ当な発散方法なんでしょうか？」

春日　単純にのめり込むか、あるいはどこか客観的な視点とか面白がる視点ができるか、とまぁ、その辺のところになるんでしょう。

平山　さっきと同じで、現実のストレスをね、コンビニエントに発散させる場合なら僕はこれはいいと思うんですけど。ただ、ＦＢＩのプロファイラーの（ロバート・Ｋ・）レスラーと話をしたときに……彼、酒鬼薔薇のときに日本に来たんですよ。そのときに会って、アメリカでも話を聞いたんですけど。彼が「ゲームの中にひとつだけ避けないといけないものがある」って。「支配欲求を満たすゲームはダメだ」って言うんですよ。

だから、女の子を監禁して7日間育てるとか、昔ありましたよね。18禁ゲーム、パソコンゲームとかでもあって。

春日　残酷版「たまごっち」。

平山　そうそう。とにかく「支配欲求はとても犯罪の温床になりやすい」っていうことを言っていて、しかも、「その中に妄想を持ってる人は取り込まれやすい」って。

春日　はい。

平山　それに飽きると、現実のものに行くから、と。特に精神的にちょっと病んでたり、弱ってる人は。だから「支配するのが楽しい」ゲームはダメだって。ただ「残忍なゲーム」にもいろんな種類があるじゃないですか。要は「犯罪の予行演習みたいなゲーム」はよくないけど、歩き回ってるゾンビをバラバラにして喜んでるぐらいのゲームならいいいんじゃねえかなと思いますけどね（笑）。

春日　平山さんの作品は残酷なの？

平山　僕はあんまり残酷だと思ってないんですよ。「火力は強いな」と思ってますけど。

春日　そうだよねえ。もっとイヤなのあるよね。

平山　で、僕の中で思ってるのは、さっき言った支配欲求もそうなんですけど、ちょっとね、「変態の残酷さ」は嫌いなんですよ。

春日　うん。

平山　弱々しいから。なんか「僕を分かって」みたいな。「こんなことした僕を分かってほしい」みたいな。被害者というか、ナルシシズムっぽいでしょ。

春日　はい、はい、はい。

平山　ああいうの嫌いなんですよ。「やるなら、狂ってやれ」っていうのがあったから、だから、ハンニバル・レクター博士は好きなんですよ。

春日　うん。

平山　『羊たちの沈黙』で言えばレクターは好きだけど、バッファロー・ビルは嫌いなんです。ここは明確にあって、だから僕が残酷な描写を書くときはレクター側に立つことが多いし、あえてビルで書いた場合はそいつがえらい目にあったりして終わることが多いですね。

春日　ま、基本的に清々《すがすが》しい作家の平山さん、とね（笑）。

平山　爆上がりさせようと思った？　印象を？

春日　そうそう（笑）。

平山　ありがとうございます。

自家中毒ではなく自己嫌悪

春日　最後に６―⑦、自分で読んでください。

平山　はい。「６―⑦平山先生ご自身が、自分の創作活動から悪影響というか、自家中毒となってメンタルが不調になることってありますか？　そういうことがあった場合の対処法は？」。単純に、ないですよね。

創作として書いた残酷描写が、僕に影響するかって聞かれたら「ない」です。ただ、自己嫌悪になったりすることはある。描写はどうであれ、作品が全然納得いかないのに出した場合はかなり荒《すさ》んだりしますよね。あと、うまくいってないときはもうイライラしたり。

春日　だけど、そうならないヤツはダメだよね。

平山　だと思うけど。でも、京極夏彦先生とかは全然ないんでしょ。だって、あの人は原稿を書きながら、ドリフの映像をずっと流して、こっちでまた別の本のデザインやってんですよ。

春日　うん。

平山　同時に3つやってるんすよ。

春日　だけど、逆に達成感ないんじゃない？

平山　ないですよ。普通、仕事が終わったら「よし！　飲みに行こう！」とかなるじゃないすか。終わってすぐ、次のやるんですよ、あの人。その代わり、1日12時間か10時間座ってやるっていうのを決めてて。

春日　完全に機械だな。

平山　あの人を割ったら歯車が出ますよ（笑）。俺、こっそりと「お前、ここだけの話だから教えて」って聞いたんです。「お前、夏彦だろ？　冬彦と春彦と秋ピコはどこにいるんだ？」って言ったら、「それは言えません」つって（笑）。絶対、４人いるんですよ。だから、僕はペンネームで「京極四季ピコ」って名前で書いたことありますから（笑）。

そういう人、いますよ。極端な例ですけど。ただ、99・９９９％の作家は達成感があると思います。職業的に割り切って書いてらっしゃる人も大勢いるから、そういう人は発注がきちんと納品できたらいいっていうね。

春日　俺、この前ね、いろいろと「不安だ」とか「焦る」とかね、「人気者になりたい」とか「いろいろやってもうまくいかない」とかね、そういう陰々滅々としたのを32項目を挙げてね、それに全部解説とか、どう考えればいいのかって本を書いたのね。

平山　また、厚いヤツ？

春日　ううん、それほど厚くないけど、新書一冊でね。それをやってたらさ、すっかりげんなりしてきて。

平山　浴びちゃったんだ。

春日　だって女房が目次見て、「あんた、よくもまあこんな暗澹とした本を出すわね」って。

でさ、その本を出すこと自体もなんか重苦しくなってきてさ。だもんでね、真ん中辺にね、ひとつさ、「やるせない」っていう項目で、ちょっと清々しい文章をわざと入れて。

平山　「やるせなさ」で。「汚れちまった悲しみ」みたいなヤツ?

春日　そうそう。で、あとで読み返すと、やっぱりそこだけ浮いてるわけ。しょうがないんでね、前書きに「途中で自家中毒になったんで、自分のために毒消し代わりに入れました。びっくりしないでください」って書いたもん。

ま、それはそれとして、これでちゃんと質問も全部答えられましたね。しかし、誠実だよね、俺たち。普通、はしょったりするじゃない。

平山　でも、これは一見あれですよ、ちょっと演芸的に見える場面もあったかもしれないんですけど、やっぱさ、春日先生の本業のところですから。良かったと思います。僕も勉強になりましたね。

春日　いずれにせよね、社員の皆さんのメンタル研修が無事に済んでよかったよね。

平山　はい、どうもありがとうございました。

あとがきのようなもの

またまた春日先生と本を創らせて戴いたのである。

通常であれば診察室で「最近書けないです……」みたいな対面しか叶《かな》わないであろう権威が何故《なぜ》かオイラのようなものに調子を合わせ、歩調を合わせながら対話を続けてくださる。「なぜだろう?」と大きな疑問符を頭に抱きながら、こちらは患者代表のつもりで勝手論をぶち上げるのだが、先生はいつも穏やかに「ふむふむ。それで……」と見事に、受け流し受け止めを自在にしてくれるのである。

初めて先生と逢《あ》ったのは遥か昔、もう二十年以上前になろうか。『異常快楽殺人』（角川ホラー文庫）を書いた奴に会ってみたいというような事で確か『メルキオールの惨劇』（ハルキ文庫）の担当者が引き合わせてくれたのだと思う。そこには漫画家の吉野朔実さんや歌人の穂村弘さん、そして春日先生がいらっしゃった。精神科の先生に逢うのは初めてだったので大変に緊張したのを憶《おぼ》えている。先生=偉い人=医者=凄《すご》く偉い人=精神科=凄く凄く偉くてこわい人というイメージだったのである。処《ところ》が先生は何を話してもニコニコとされている。それでこっちはすぐに懐いてしまってある事無いことべらべらと喋って、押し売り的に友だちとして貰《もら》った。今で云う『押し』である。

　春日先生は普段は実に丁寧な人であるが対談になると元も子もないことを多発される。所謂《いわゆる》、世間や患者周辺が持っている「精神科医や医者はこうあるべきだ」という幻想的押しつけを木っ端微塵《みじん》にされる。こっちが勝手にこうですよね?と期待しても「違うよ」と時には突《つ》っ慳貪《けんどん》にする。なぜなら、それは「事実」ではないし「正しくない」からである。また先生のそれらケンモホロロ的言質《げんち》の裏には「誰にとっての幸せか」という定規が確としてある。病んでいる状態が本人や家族にとっての「幸福」である場合もないわけではないということをハッキリと云《い》ってしまう。普通は「え?」となる。苦しんでいるんだから治されるべきだしそれが仕事でしょう!となる。

　しかし人間はそう簡単なもんじゃない。ましてや周辺の人も巻き込んでの『幸せ』は時々刻々とその様態が変化するという意味に於《お》いて固定化できない。その辺りを一瞬で突き刺す。それが春日先生の偉大であり本当に畏怖な処なのである。そしてまた一見ぞんざいに聞こえる言葉も実は精神科医のみならず医師が常に「脳内で交わしているであろう言葉」だと察する。表面的には「そうですねえ」と云う医者も肚の中では「莫迦。なに云ってやんでえ」となっていることも否めないのである。

でも普通は白い巨塔的な雰囲気を醸そうと実態は晒《さら》さない、晒さないで世間の立ち竦《すく》みに便乗する。しかし春日先生はそれを拒否する。なぜならそれは春日先生の「粋」ではないから。正直にすぱりとやってしまう。つまり先生は「医者もあなたたちと同じです」と云いたい。「医者だからって特別偉いわけじゃない。凄いわけじゃない」「功績もないのに拝むことはない」と本当に平らく云う。故《ゆえ》にオイラは絶大な信頼をおくのです。これほど信じられる先生は他にはいない。だから対談をしていても安心していられるし、それ自体が冒険になっているし、楽しい。今回も目一杯そうでした。この楽しさ、なるほど感が読者の皆様に伝われればこんなに嬉《うれ》しいことはないと思っておりまする。

また先生の書籍を一度読んでくださることも強く『推す』。特に『鬱屈精神科医、怪物人間とひきこもる』（キネマ旬報社）『奇想版　精神医学事典』（河出文庫）などは読まれると困るほどオイラの元ネタが詰まっている。オススメです。

最後になりましたけれど編集の織田君、高橋編集長、更にはこのバラッバラの放談を毎回毎回、死ぬ思いでまとめあげてくれる豪腕の持ち主、山崎圭司さん。本当にありがとう！　みんなのお力で、夢はちょんぼり生きていられます(^_^)/　ではでは。

平山夢明

編集協力　山崎圭司
DTP　生田 敦
装丁　鈴木貴之

春日武彦（かすが・たけひこ）

1951（昭和26）年、京都府生まれ。医学博士。日本医科大学卒。産婦人科医を経て、精神科医に転進。都立松沢病院精神科部長、都立墨東病院神経科部長などを経て、現在も臨床に携わる。著書に『精神科医は腹の底で何を考えているか』（幻冬舎新書）、『猫と偶然』（作品社）、『無意味なものと不気味なもの』（文藝春秋）、『奇想版　精神医学事典』、『鬱屈精神科医、占いにすがる』（ともに河出文庫）などがある。

平山夢明（ひらやま・ゆめあき）

1961（昭和36）年、神奈川県川崎市生まれ。法政大学中退。デルモンテ平山名義でZ級ホラー映画のビデオ評論を手がけた後、1993年より本格的に執筆活動を開始。実話怪談のシリーズおよび、短編小説も多数発表。短編『独白するユニバーサル横メルカトル』（光文社文庫）により、2006年日本推理作家協会賞を受賞。2010年『ダイナー』（ポプラ文庫）で日本冒険小説協会大賞、大藪春彦賞を受賞。最新刊は『俺が公園でペリカンにした話』（光文社）。

扶桑社新書　460

「狂い」の調教

違和感を捨てない勇気が正気を保つ

発行日 2023年3月1日　初版第1刷発行

著　　者………春日武彦・平山夢明

発 行 者………小池英彦

発 行 所………株式会社 扶桑社

〒105-8070
東京都港区芝浦1-1-1　浜松町ビルディング
電話　03-6368-8870（編集）
　　　03-6368-8891（郵便室）

www.fusosha.co.jp

印刷・製本………中央精版印刷株式会社

Printed in Japan　ISBN 978-4-594-09375-4